a educação para além do capital

a educação para além do capital

COLEÇÃO
Mundo do Trabalho

CAPITALISMO PANDÊMICO
Ricardo Antunes

CUIDADO: TEORIAS E PRÁTICAS
Helena Hirata

GÊNERO E TRABALHO NO BRASIL E NA FRANÇA
Alice Rangel de Paiva Abreu, Helena Hirata
e Maria Rosa Lombardi (orgs.)

ICEBERGS À DERIVA
Ricardo Antunes (org.)

OS LABORATÓRIOS DO TRABALHO DIGITAL
Rafael Grohmann

AS ORIGENS DA SOCIOLOGIA DO TRABALHO
Ricardo Festi

PARA ALÉM DO CAPITAL E PARA ALÉM DO LEVIATÃ
István Mészáros

A PERDA DA RAZÃO SOCIAL DO TRABALHO
Maria da Graça Druck e Tânia Franco (orgs.)

**SEM MAQUIAGEM: O TRABALHO DE UM MILHÃO
DE REVENDEDORAS DE COSMÉTICOS**
Ludmila Costhek Abílio

A SITUAÇÃO DA CLASSE TRABALHADORA NA INGLATERRA
Friedrich Engels

SUB-HUMANOS: O CAPITALISMO E A METAMORFOSE DA ESCRAVIDÃO
Tiago Muniz Cavalcanti

TEOREMA DA EXPROPRIAÇÃO CAPITALISTA
Klaus Dörre

UBERIZAÇÃO, TRABALHO DIGITAL E INDÚSTRIA 4.0
Ricardo Antunes (org.)

Veja a lista completa dos títulos em:
https://bit.ly/BoitempoMundodoTrabalho

István Mészáros

a educação para além do capital

2ª EDIÇÃO
inclui o apêndice "Educação: o desenvolvimento
contínuo da consciência socialista"

Copyright © István Mészáros
Copyright desta edição © Boitempo Editorial, 2005, 2008
Titulo original: *Education Beyond Capital*

Coordenação editorial Ivana Jinkings

Assistência Ana Paula Castellani e Ana Lotufo (2ª ed.)

Tradução Isa Tavares

Revisão da tradução Sérgio Luiz Mansur e Luis Gonzaga Fragoso

Revisão técnica Maria Orlanda Pinassi

Coordenação de produção Juliana Brandt

Assistência de produção Livia Viganó

Capa Antonio Kehl
    sobre foto de Sebastião Salgado
    (*Terra,* São Paulo, Companhia das Letras, 1997)
    © Sebastião Salgado/Amazonas Images

Editoração eletrônica Gapp Design

CIP-BRASIL. CATALOGAÇÃO-NA-FONTE
SINDICATO NACIONAL DOS EDITORES DE LIVROS, RJ.

M55e
2.ed.

Mészáros, István, 1930-2017
    A educação para além do capital / István Mészarós ; [tradução Isa Tavares]. - 2. ed. - São Paulo : Boitempo, 2008. (Mundo do trabalho)

Tradução de: Education beyond capital
Apêndice
ISBN 978-85-7559-068-3

    1. Educação - Aspectos econômicos. 2. Capitalismo. 3. Democracia. 4. Educação e Estado. I. Título. II. Série.

08-3207.   CDD: 370
                                                     CDU: 37.013.78

É vedada a reprodução de qualquer
parte deste livro sem a expressa autorização da editora.

1ª edição: julho de 2005;
8ª reimpressão: setembro de 2024

BOITEMPO
Jinkings Editores Associados Ltda.
Rua Pereira Leite, 373
05442-000 São Paulo SP
Tel.: (11) 3875-7250 / 3875-7285
editor@boitempoeditorial.com.br
boitempoeditorial.com.br | blogdaboitempo.com.br
facebook.com/boitempo | twitter.com/editoraboitempo
youtube.com/tvboitempo | instagram.com/boitempo

Sumário

Apresentação.. 9
   Ivana Jinkings

Prefácio.. 15
   Emir Sader

A educação para além do capital................................ 19

Apêndice... 79
   Educação: o desenvolvimento contínuo
   da consciência socialista

Obras do autor... 125

APRESENTAÇÃO

O ensaio que dá título a este volume foi escrito por István Mészáros para a conferência de abertura do Fórum Mundial de Educação, realizado em Porto Alegre, no dia 28 de julho de 2004. Nesse texto, o professor emérito da Universidade de Sussex afirma que a educação não é um negócio, é criação. Que educação não deve qualificar para o mercado, mas para a vida. Na sessão inaugural no ginásio Gigantinho, enfatizou o sentido mais enraizado da frase "a educação não é uma mercadoria".

Em *A educação para além do capital*, Mészáros ensina que pensar a sociedade tendo como parâmetro o ser humano exige a superação da lógica desumanizadora do capital, que tem no individualismo, no lucro e na competição seus fundamentos. Que educar é – citando Gramsci – colocar fim à separação entre *Homo faber* e *Homo sapiens*; é resgatar o sentido estruturante da educação e de sua relação com o trabalho, as suas possibilidades criativas e emancipatórias. E recorda que transformar essas ideias e princípios em práticas concretas é uma tarefa a exigir ações que vão muito além dos espaços das salas de aula, dos gabinetes e dos fóruns acadêmicos. Que a educação não pode ser encerrada no terreno estrito da pedagogia, mas tem de sair às ruas, para os espaços públicos, e se abrir para o mundo.

Pensando na construção da ruptura com a lógica do capital, Mészáros reflete nas páginas deste livro sobre algumas questões de primeira ordem, tais como: Qual o papel da educação na construção de um outro mundo possível? Como construir uma educação cuja principal referência seja o ser humano? Como se constitui uma educação que realize as transformações políticas, econômicas, culturais e sociais necessárias?

István Mészáros nasceu em 1930, em Budapeste, onde completou os estudos fundamentais na escola pública. Proveniente de uma família modesta, foi criado pela mãe, operária, e por força da necessidade tornou-se ele também – mal entrava na adolescência – trabalhador numa indústria de aviões de carga. Com apenas doze anos, o jovem István alterou seu registro de nascimento para alcançar a idade mínima de dezesseis anos e ser aceito na fábrica. Passava, assim – como homem "adulto" –, a receber maior remuneração que a de sua mãe, operária qualificada da Standard Radio Company (uma corporação transnacional estadunidense). A diferença considerável entre suas remunerações semanais foi a primeira experiência marcante e a mais tangível em seu aprendizado sobre a natureza dos conglomerados estrangeiros e da exploração particularmente severa das mulheres pelo capital.

Somente após o final da Segunda Guerra, em 1945, pôde se dedicar melhor aos estudos. Começou a trabalhar como assistente de Georg Lukács no Instituto de Estética da Universidade de Budapeste em 1951 e defendeu sua tese de doutorado em 1954. Mészáros seria o sucessor de

Lukács na Universidade, porém, após o levante húngaro de outubro de 1956, com a entrada das tropas soviéticas no país, exilou-se na Itália – onde lecionou na Universidade de Turim –, indo posteriormente trabalhar nas universidades de St. Andrews (Escócia), York (Canadá), e finalmente em Sussex (Inglaterra), onde em 1991 recebeu o título de Professor Emérito.

Autor de obra vasta e significativa, ganhador de prêmios como o Attila József[1], em 1951, e o Isaac Deutscher Memorial, em 1970, Mészáros é considerado um dos mais importantes pensadores da atualidade. Sua experiência como operário que teve acesso ao estudo na Hungria socialista, em meio às grandes tragédias do século XX, foi possivelmente determinante para a compreensão da educação como forma de superar os obstáculos da realidade: István – assim como Donatella, sua companheira desde 1955 e também professora na rede pública de ensino – sempre militou em defesa da escola das maiorias, das periferias, aquela que oferece possibilidades concretas de libertação para todos.

Ele alerta, porém, que o simples acesso à escola é condição necessária mas não suficiente para tirar das sombras do esquecimento social milhões de pessoas cuja existência só é reconhecida nos quadros estatísticos. E que o deslocamento do processo de exclusão educacional não se dá mais principalmente na questão do acesso à escola, mas sim dentro dela, por meio das instituições da educação formal. O que está em jogo não é apenas a modificação política dos processos educacionais – que praticam e agravam o

---

[1] Attila József (1905-1937), poeta húngaro por quem Mészáros nutre verdadeira paixão, e a respeito de quem publicou o livro *Attila József e l'arte moderna* [Attila József e a arte moderna], em 1964.

apartheid social –, mas a reprodução da estrutura de valores que contribui para perpetuar uma concepção de mundo baseada na sociedade mercantil.

Mészáros sustenta que a educação deve ser sempre continuada, permanente, ou não é educação. Defende a existência de práticas educacionais que permitam aos educadores e alunos trabalharem as mudanças necessárias para a construção de uma sociedade na qual o capital não explore mais o tempo de lazer, pois as classes dominantes impõem uma educação para o trabalho alienante, com o objetivo de manter o homem dominado. Já a educação libertadora teria como função transformar o trabalhador em um agente político, que pensa, que age, e que usa a palavra como arma para transformar o mundo. Para ele, uma educação para além do capital deve, portanto, andar de mãos dadas com a luta por uma transformação radical do atual modelo econômico e político hegemônico.

Estudioso da obra de Marx, Mészáros acredita que a sociedade só se transforma pela luta de classes. Limitar, portanto, uma mudança educacional radical "às margens corretivas interesseiras do capital significa abandonar de uma só vez, conscientemente ou não, o objetivo de uma transformação qualitativa. [...] É por isso que é necessário *romper com a lógica do capital* se quisermos contemplar a criação de uma alternativa educacional significativamente diferente"[2].

Usando como referência duas grandes figuras da burguesia iluminista – o economista Adam Smith e o educador utópico Robert Owen –, o autor deste livro advoga que o capital é irreformável porque, pela sua própria natureza, como totalidade reguladora sistêmica,

---

[2] István Mészáros, *A educação para além do capital*, p. 27 deste volume.

é incontrolável e incorrigível. Seria, desse ponto de vista, absurdo esperar uma "formulação de um ideal educacional, do ponto de vista da ordem feudal em vigor, que considerasse a hipótese da dominação dos servos, como classe, sobre os senhores da bem estabelecida classe dominante"[3]. Naturalmente, o mesmo vale para a alternativa hegemônica fundamental entre capital e trabalho. Não surpreende, portanto, que "mesmo as mais nobres utopias educacionais, anteriormente formuladas do ponto de vista do capital, tivessem de permanecer estritamente dentro dos limites da perpetuação do domínio do capital como modo de reprodução social metabólica"[4].

Pequeno em tamanho, *A educação para além do capital* é um livro imenso em esperança e determinação. Nele, o filósofo marxista condena as mentalidades fatalistas que se conformam com a ideia de que não existe alternativa à globalização capitalista. Em Mészáros, educar não é a mera transferência de conhecimentos, mas sim conscientização e testemunho de vida. É construir, libertar o ser humano das cadeias do determinismo neoliberal, reconhecendo que a história é um campo aberto de possibilidades. Esse é o sentido de se falar de uma educação para além do capital: educar para além do capital implica pensar uma sociedade para além do capital.

Aos leitores que queiram conhecer melhor as opiniões de István Mészáros sobre educação, sugiro a leitura do capítulo "A alienação e a crise da educação", sobre as utopias

---

[3] Ibidem, p. 26.
[4] Idem.

educacionais, em *A teoria da alienação em Marx*, publicado pela Boitempo em 2006. Nessa obra, o pensador húngaro reafirma a necessidade de transcender as relações sociais de produção capitalistas, com o objetivo de conceber uma estratégia educacional socialista. Ele discute nesse texto o conceito de "educação estética"[5], tentativa isolada de enfrentar a desumanização do sistema educacional na sociedade capitalista. E conclui que a superação positiva da alienação é tarefa educacional que exige uma "revolução cultural" radical para ser colocada em prática.

A tradução que aqui se apresenta foi feita a partir do original em inglês *Education Beyond Capital*, por Isa Tavares, com texto final de Sérgio Luiz Mansur e Luis Gonzaga Fragoso. A revisão técnica coube à professora de Sociologia da Unesp, Maria Orlanda Pinassi. Nos textos de Mészáros, as notas de rodapé numeradas são do autor; as indicadas com asterisco são dos revisores da tradução e vêm marcadas no final com (N.R.T.).

Registro o agradecimento da editora a Sebastião Salgado, que autorizou o uso da foto (uma menina fazendo os deveres escolares e tomando conta dos irmãos enquanto a mãe trabalha) que ilustra a capa deste livro, cujos direitos autorais – assim como de toda a obra de Mészáros publicada pela Boitempo no Brasil – foram cedidos para o Movimento dos Trabalhadores Sem Terra, o MST.

Ivana Jinkings

---

[5] Conceito que ficou famoso com as *Cartas sobre a educação estética do homem*, de Schiller (1793-1794).

PREFÁCIO

O objetivo central dos que lutam contra a sociedade mercantil, a alienação e a intolerância é a emancipação humana. A educação, que poderia ser uma alavanca essencial para a mudança, tornou-se instrumento daqueles estigmas da sociedade capitalista: "fornecer os conhecimentos e o pessoal necessário à maquinaria produtiva em expansão do sistema capitalista, mas também gerar e transmitir um quadro de valores que legitima os interesses dominantes". Em outras palavras, tornou-se uma peça do processo de acumulação de capital e de estabelecimento de um consenso que torna possível a reprodução do injusto sistema de classes. Em lugar de instrumento da emancipação humana, agora é mecanismo de perpetuação e reprodução desse sistema.

    A natureza da educação – como tantas outras coisas essenciais nas sociedades contemporâneas – está vinculada ao destino do trabalho. Um sistema que se apoia na separação entre trabalho e capital, que requer a disponibilidade de uma enorme massa de força de trabalho sem acesso a meios para sua realização, necessita, ao mesmo tempo, socializar os valores que permitem a sua reprodução. Se no pré-capitalismo a desigualdade era explícita e assumida como tal, no capitalismo – a sociedade mais desigual de toda a história –, para que se aceite que "todos são iguais diante da lei", se faz necessário um sistema ideológico que proclame e inculque cotidianamente esses valores na mente das pessoas.

No reino do capital, a educação é, ela mesma, uma mercadoria. Daí a crise do sistema público de ensino, pressionado pelas demandas do capital e pelo esmagamento dos cortes de recursos dos orçamentos públicos. Talvez nada exemplifique melhor o universo instaurado pelo neoliberalismo, em que "tudo se vende, tudo se compra", "tudo tem preço", do que a mercantilização da educação. Uma sociedade que impede a emancipação só pode transformar os espaços educacionais em *shopping centers*, funcionais à sua lógica do consumo e do lucro.

O enfraquecimento da educação pública, paralelo ao crescimento do sistema privado, deu-se ao mesmo tempo em que a socialização se deslocou da escola para a mídia, a publicidade e o consumo. Aprende-se a todo momento, mas o que se aprende depende de onde e de como se faz esse aprendizado. García Márquez diz que aos sete anos teve de parar sua educação para ir à escola. Saiu da vida para entrar na escola – parodiando a citação de José Martí, utilizada neste livro.

Seu autor, István Mészáros, filósofo no melhor sentido da palavra – aquele que nos ajuda a desvendar o significado das coisas –, húngaro de nascimento, pôde conviver com um dos maiores pensadores marxistas, Georg Lukács. Mészáros orienta sua obra por uma demanda de seu mestre: reescrever *O capital* de Marx – trabalho que empreendeu em seu *Para além do capital*[1], hoje leitura in-

---

[1] István Mészáros, *Para além do capital: rumo a uma teoria da transição* (São Paulo, Boitempo, 2002).

dispensável para se entender o sistema de relações capital-trabalho, seus limites, suas contradições, seu movimento e seu horizonte de superação.

Ao pensar a educação na perspectiva da luta emancipatória, não poderia senão restabelecer os vínculos – tão esquecidos – entre educação e trabalho, como que afirmando: digam-me onde está o trabalho em um tipo de sociedade e eu te direi onde está a educação. Em uma sociedade do capital, a educação e o trabalho se subordinam a essa dinâmica, da mesma forma que em uma sociedade em que se universalize o trabalho – uma sociedade em que todos se tornem trabalhadores –, somente aí se universalizará a educação. "A 'autoeducação de iguais' e a 'autogestão da ordem social reprodutiva' não podem ser separadas uma da outra" – nas palavras de Mészáros. Antes disso, educação significa o processo de "interiorização" das condições de legitimidade do sistema que explora o trabalho como mercadoria, para induzi-los à sua aceitação passiva. Para ser outra coisa, para produzir insubordinação, rebeldia, precisa redescobrir suas relações com o trabalho e com o mundo do trabalho, com o qual compartilha, entre tantas coisas, a alienação.

Para que serve o sistema educacional – mais ainda, quando público –, se não for para lutar contra a alienação? Para ajudar a decifrar os enigmas do mundo, sobretudo o do estranhamento de um mundo produzido pelos próprios homens?

Vivemos atualmente a convivência de uma massa inédita de informações disponíveis e uma incapacidade aparentemente insuperável de interpretação dos fenômenos.

Vivemos o que alguns chamam de "novo analfabetismo" – porque é capaz de explicar, mas não de entender –, típico dos discursos econômicos. Conta-se que um presidente, descontente com a política econômica do seu governo, chamou seu ministro de Economia e lhe disse que "queria entender" essa política. Ao que o ministro disse que "ia lhe explicar". O presidente respondeu: "Não, explicar eu sei, o que eu quero é entender".

A diferença entre explicar e entender pode dar conta da diferença entre acumulação de conhecimentos e compreensão do mundo. Explicar é reproduzir o discurso midiático, entender é desalienar-se, é decifrar, antes de tudo, o mistério da mercadoria, é ir para além do capital. É essa a atividade que István Mészáros chama de "contrainteriorização", de "contraconsciência", um processo de "transcendência positiva da autoalienação do trabalho".

Os que lutam contra a exploração, a opressão, a dominação e a alienação – isto é, contra o domínio do capital – têm como tarefa educacional a "transformação social ampla emancipadora". Se em *Para além do capital* Mészáros retomava o fio condutor de *O capital*, neste texto – vibrante, lúcido, decifrador – ele se insere na prolongação do *Manifesto Comunista*, apontado para as tarefas atuais do pensamento e da ação revolucionária no campo da educação e do trabalho – isto é, da emancipação humana.

Emir Sader

A EDUCAÇÃO PARA ALÉM
DO CAPITAL

A aprendizagem é a nossa própria vida, desde a juventude até a velhice, de fato quase até a morte; ninguém passa dez horas sem nada aprender.
Paracelso

Se viene a la tierra como cera, – y el azar nos vacía en moldes prehechos. Las convenciones creadas deforman la existencia verdadera [...] Las redenciones han venido siendo formales; – es necesario que sean esenciales [...] La libertad política no estará asegurada, mientras no se asegura la libertad espiritual. [...] La escuela y el hogar son las dos formidables cárceles del hombre.
José Martí

A teoria materialista de que os homens são produto das circunstâncias e da educação e de que, portanto, homens modificados são produto de circunstâncias diferentes e de educação modificada, esquece que as circunstâncias são modificadas precisamente pelos homens e que o próprio educador precisa ser educado. Leva, pois, forçosamente, à divisão da sociedade em duas partes, uma das quais se sobrepõe à sociedade [...]. A coincidência da modificação das circunstâncias e da atividade humana só pode ser apreendida e racionalmente compreendida como prática transformadora.
Karl Marx

Escolhi as três epígrafes deste livro a fim de antecipar alguns dos pontos principais a serem abordados. A primeira, do grande pensador do século XVI, Paracelso; a segunda, de José Martí; e a terceira, de Marx. A primeira diz, em contraste agudo com a concepção atual tradicional mas tendenciosamente estreita da educação, que "A aprendizagem é a nossa própria vida, desde a juventude até a velhice, de fato quase até a morte; ninguém passa dez horas sem nada aprender"[1]. Relativamente a José Martí, escreve ele, podemos estar certos, com o mesmo espírito de Paracelso, quando ele insiste que "La educación empieza con la vida, y non acaba sino con la muerte". Mas ele acrescenta algumas restrições cruciais, criticando duramente as soluções tentadas pela nossa sociedade e também resumindo a enorme tarefa que temos pela frente. É assim que ele coloca em perspectiva o nosso problema:

---

[1] Paracelso, *Selected writings* (Londres, Routledge & Kegan Paul, 1951), p. 181.

> Se viene a la tierra como cera, – y el azar nos vacía en moldes prehechos. – Las convenciones creadas deforman la existencia verdadera [...] Las redenciones han venido siendo formales; – es necesario que sean esenciales [...] La libertad política no estará asegurada mientras no se asegura la libertad espiritual. [...] La escuela y el hogar son las dos formidables cárceles del hombre.[2]

E a terceira epígrafe, escolhida entre as *Teses sobre Feuerbach* de Marx, põe em evidência a linha divisória que separa os socialistas utópicos, como Robert Owen, daqueles que no nosso tempo têm de superar os graves antagonismos estruturais de nossa sociedade. Pois esses antagonismos bloqueiam o caminho para uma mudança absolutamente necessária, sem a qual não pode haver esperança para a própria sobrevivência da humanidade, muito menos para a melhoria de suas condições de existência. Eis o que diz Marx:

> A teoria materialista de que os homens são produto das circunstâncias e da educação e de que, portanto, homens modificados são produto de circunstâncias diferentes e de educação modificada, esquece que as circunstâncias são modificadas precisamente pelos homens e que o próprio educador precisa ser educado. Leva, pois, forçosamente, à divisão da sociedade em duas partes, uma das quais se sobrepõe à sociedade (como, por exemplo, Robert Owen). A coincidência da modificação das circunstâncias e da atividade humana só pode ser apreendida e racionalmente compreendida como *prática transformadora*.[3]

---

[2] José Martí, "Libros", em *Obras completas* (Havana, Editorial de Ciencias Sociales, 1991), v. 18, p. 290-1.

[3] Karl Marx e Friedrich Engels, *Teses sobre Feuerbach* (São Paulo, Alfa-Omega, 1977), p. 118-9. Grifos meus.

A ideia que pretendo destacar é a de que não apenas a última citação mas de alguma forma todas as três, durante um período de quase cinco séculos, enfatizam a urgência de se instituir – tornando-a ao mesmo tempo irreversível – uma radical mudança estrutural. Uma mudança que nos leve *para além do capital*, no sentido genuíno e educacionalmente viável do termo.

A incorrigível lógica do capital e seu impacto sobre a educação

Poucos negariam hoje que os processos educacionais e os processos sociais mais abrangentes de reprodução estão intimamente ligados. Consequentemente, uma reformulação significativa da educação é inconcebível sem a correspondente transformação do quadro social no qual as práticas educacionais da sociedade devem cumprir as suas vitais e historicamente importantes funções de mudança. Mas, sem um acordo sobre esse simples fato, os caminhos dividem-se nitidamente. Pois caso não se valorize um determinado modo de reprodução da sociedade como o necessário quadro de intercâmbio social, serão admitidos, em nome da reforma, apenas alguns ajustes menores em todos os âmbitos, incluindo o da educação. As mudanças sob tais limitações, apriorísticas e prejulgadas, são admissíveis apenas com o único e legítimo objetivo de *corrigir* algum detalhe defeituoso da ordem estabelecida, de forma que sejam mantidas intactas as determinações estruturais fundamentais da sociedade como um todo, em conformidade com as exigências inalteráveis da *lógica global* de um determinado sistema de reprodução. Podem-se ajustar as formas pelas quais uma multiplicidade de interesses particulares conflitantes se deve *conformar* com a *regra geral* preestabelecida da reprodução da sociedade, mas de forma nenhuma pode-se alterar a *própria regra geral.*

Essa lógica exclui, com uma irreversibilidade categórica, a possibilidade de legitimar o conflito entre as *forças hegemônicas fundamentais rivais*, em uma dada ordem social, como *alternativas viáveis* entre si, quer no campo da produção material, quer no âmbito cultural/educacional. Portanto, seria realmente um absurdo esperar uma formulação de um ideal educacional, do ponto de vista da ordem feudal em vigor, que considerasse a hipótese da dominação dos servos, como classe, sobre os senhores da bem-estabelecida classe dominante. Naturalmente, o mesmo vale para a *alternativa hegemônica* fundamental entre o capital e o trabalho. Não surpreende, portanto, que mesmo as mais nobres utopias educacionais, anteriormente formuladas do ponto de vista do capital, tivessem de permanecer estritamente dentro dos limites da perpetuação do domínio do capital como modo de reprodução social metabólica. Os interesses objetivos de classe tinham de prevalecer mesmo quando os subjetivamente bem-intencionados autores dessas utopias e discursos críticos observavam claramente e criticavam as manifestações desumanas dos interesses materiais dominantes. Suas posições críticas poderiam, no limite, apenas desejar utilizar as *reformas educacionais* que propusessem para remediar os piores *efeitos* da ordem reprodutiva capitalista estabelecida sem, contudo, eliminar os seus *fundamentos causais* antagônicos e profundamente enraizados.

A razão para o fracasso de todos os esforços anteriores, e que se destinavam a instituir grandes mudanças na sociedade por meio de reformas educacionais lúcidas, reconciliadas com o ponto de vista do capital, consistia – e ainda consiste – no fato de as determinações fundamentais do sistema do capital serem *irreformáveis*. Como sabemos muito bem pela lamentável história da estratégia reformista, que já tem mais de cem anos, desde Edward Bernstein[4] e seus colaboradores – que outrora prometeram a transformação gradual da ordem capitalista numa ordem qualitativamente diferente, socialista –, o capital é irreformável porque pela sua própria natureza, como totalidade reguladora sistêmica, é totalmente *incorrigível*. Ou bem tem êxito em impor aos membros da sociedade, incluindo-se as personificações "carinhosas" do capital, os imperativos estruturais do seu sistema como um todo, ou perde a sua viabilidade como o regulador historicamente dominante do modo bem-estabelecido de reprodução metabólica universal e social. Consequentemente, em seus parâmetros estruturais fundamentais, o capital deve permanecer sempre *incontestável*, mesmo que todos os tipos de corretivo estritamente marginais sejam não só compatíveis com seus preceitos, mas também benéficos, e realmente necessários a ele no interesse da sobrevivência continuada do sistema. Limitar uma mudança educacional radical às margens corretivas interesseiras do capital significa abandonar de uma só vez, conscientemente ou não, o objetivo de uma transformação social qualitativa. Do mesmo modo, contudo, procurar margens de *reforma sistêmica* na própria estrutura do sistema do capital é uma *contradição em termos*. É por isso que é necessário *romper com a lógica do capital* se quisermos contemplar a criação de uma alternativa educacional significativamente diferente.

---

[4] Para uma discussão detalhada sobre a estratégia reformista de Bernstein, ver o capítulo intitulado "O beco sem saída representativo de Bernstein", no meu livro *O poder da ideologia* (São Paulo, Boitempo, 2004).

Farei referência aqui a apenas duas grandes figuras da burguesia iluminista, a fim de ilustrar os limites objetivos, intransponíveis mesmo quando ligados à melhor das intenções subjetivas. A primeira é um dos maiores economistas políticos de todos os tempos, Adam Smith; e a segunda, o extraordinário reformador social e educacional utópico – que também tentou pôr em prática aquilo que pregava, até cair em bancarrota econômica – Robert Owen.

Adam Smith, a despeito de seu profundo compromisso com o modo capitalista de organização da reprodução econômica e social, condenou de forma clara o impacto negativo do sistema sobre a classe trabalhadora. Falando acerca do "espírito comercial" como a causa do problema, ele insistia em que este

> limita as visões do homem. Na situação em que a divisão do trabalho é levada até à perfeição, todo homem tem apenas uma operação simples para realizar; a isso se limita toda a sua atenção, e poucas ideias passam pela sua cabeça, com exceção daquelas que com ela têm *ligação imediata.* Quando a mente é empregada numa diversidade de assuntos, ela é de certa forma ampliada e aumentada, e devido a isso geralmente se reconhece que um artista do campo tem uma variedade de pensamentos bastante superior a de um citadino. Aquele talvez seja simultaneamente um carpinteiro e um marceneiro, e sua atenção certamente deve estar voltada para vários objetos, de diferentes tipos. Este talvez seja apenas um marceneiro; esse tipo específico de trabalho ocupa todos os seus pensamentos, e como ele não teve a oportunidade de comparar vários objetos sua visão das coisas que não estejam relacionadas com seu trabalho jamais será tão ampla como a do artista. Deverá ser esse o caso sobretudo quando *toda a atenção de uma pessoa é dedicada a uma dentre dezessete partes de um alfinete ou a uma*

dentre oitenta partes de um botão, de tão dividida que está a fabricação de tais produtos. [...] Essas são as desvantagens de um espírito comercial. As mentes dos homens ficam *limitadas*, tornam-se incapazes de se elevar. *A educação é desprezada, ou no mínimo negligenciada*, e o espírito heroico é quase totalmente extinto. Corrigir esses defeitos deveria ser assunto digno de uma séria atenção.[5]

Contudo, a "séria atenção" advogada por Adam Smith significa realmente muito pouco, se é que tem algum significado. Pois esse arguto observador das condições da Inglaterra sob o avanço triunfante do "espírito comercial" não encontra outra solução a não ser uma denúncia moralizadora dos *efeitos* degradantes das forças ocultas, culpando os próprios trabalhadores em vez do sistema que lhes impõe essa situação infeliz. É nesse espírito que Smith escreve:

> Quando o rapaz se torna adulto, *não tem ideias de como possa se divertir*. Portanto, quando estiver fora de seu trabalho é provável que se entregue à *embriaguez e à intemperança*. Consequentemente, concluímos, nos locais de comércio da Inglaterra os comerciantes geralmente se encontram nesse estado desprezível; o que recebem do trabalho de metade da semana é suficiente para seu sustento, e devido à *ignorância eles não se divertem senão na intemperança e na libertinagem*.[6]

---

[5] Adam Smith, "Lectures on justice, police, revenue, and arms" (1763), em *Adam Smith's moral and political philosophy*, ed. por Herbert W. Schneider (Nova York, Hafner, 1948), p. 318-21.

[6] Ibidem, p. 319-20.

Assim, a exploração capitalista do "tempo dedicado ao lazer", levada hoje à perfeição sob o domínio do "espírito comercial" mais atualizado, pareceria ser a solução, sem que se alterasse minimamente o núcleo alienante do sistema. Considerar que Adam Smith gostaria de ter instituído algo mais elevado do que uma utilização inescrupulosa e insensível do "tempo de lazer" dos jovens não altera o fato de que até o discurso dessa grande figura do Iluminismo escocês é completamente incapaz de se dirigir às causas mas deve permanecer aprisionado no círculo vicioso dos *efeitos* condenados. Os limites objetivos da lógica do capital prevalecem mesmo quando nos referimos a grandes figuras que conceituam o mundo a partir do ponto de vista do capital, e mesmo quando eles tentam expressar subjetivamente, com um espírito iluminado, uma preocupação humanitária genuína.

O nosso segundo exemplo, Robert Owen, meio século após Adam Smith, não mede palavras quando denuncia a busca do lucro e o poder do dinheiro, insistindo em que "o empregador vê o empregado como um *mero instrumento de ganho*"[7]. Contudo, na sua experiência educacional prática ele espera que a cura se origine do impacto da "razão" e do "esclarecimento", pregando não aos "convertidos", mas aos "inconvertíveis", que não conseguem pensar o trabalho em quaisquer outros termos a não ser como "mero instrumento de ganho". É assim que Owen fundamenta a sua tese:

> Devemos então continuar a obstar a instrução nacional dos nossos camaradas, que, como foi mostrado, podem facilmente ser treinados para serem diligentes, inteligentes, virtuosos e membros valiosos do Estado?

---

[7] Robert Owen, *A new view of society and other writings* (Londres, Everyman, 1927), p. 124.

De fato, a verdade é que todas as medidas agora propostas são apenas uma transigência com os erros do sistema atual. Mas considerando que esses erros agora existem quase universalmente, e *têm de ser ultrapassados apenas por meio da força da razão*; e como a razão, para produzir um efeito sobre os objetivos mais benéficos, faz avanços *passo a passo*, e consubstancia progressivamente verdades de alto significado, uma após outra, será evidente, para mentes abertas e acuradas, que *apenas com essas e outras similares transigências pode-se esperar, racionalmente, ter-se sucesso na prática*. Pois tais transigências apresentam *a verdade e o erro* ao público, e, sempre que esses são exibidos em conjunto de um modo razoável, no final das contas *a verdade tem de prevalecer*. [...] Espera-se, confiantemente, que esteja próximo o tempo em que o homem, *por ignorância*, não mais infligirá um sofrimento desnecessário sobre o homem; porque a *maioria da humanidade se tornará esclarecida*, e irá discernir claramente que ao agir assim inevitavelmente criará sofrimento a si própria.[8]

O que torna esse discurso extremamente problemático, não obstante as melhores intenções do autor, é que ele tem de se conformar aos debilitantes limites do capital. É também por isso que a nobre experiência prática utópica de Owen em Lanark está condenada ao fracasso. Pois ela tenta conseguir o impossível: a reconciliação da concepção de uma utopia liberal/reformista com as regras implacáveis da ordem estruturalmente incorrigível do capital.

O discurso de Owen revela a estreita inter-relação entre a utopia liberal, a defesa de procedimentos como o "passo a passo", "apenas com transigências", e o desejo de superar os

---

[8] Ibidem, p. 88-9.

problemas existentes "apenas por meio da força da razão". Contudo, uma vez que os problemas em causa são *abrangentes*, correspondendo aos inalteráveis requisitos da dominação estrutural e da subordinação, a contradição entre o caráter *global* e abrangente dos fenômenos sociais criticados e a *parcialidade* e o *gradualismo* das soluções propostas – que em si são compatíveis com o ponto de vista do capital – têm de ser substituídos de modo fictício por uma excessiva generalização de alguns "deve ser" utópicos. Assim, vemos na caracterização de Owen de "o que tem de ser feito?" uma passagem dos fenômenos sociais específicos originalmente identificados com precisão – por exemplo, a deplorável condição em que "o empregador vê o empregado como um *mero instrumento de ganho*" – para a vaga e atemporal generalização do "erro" e da "ignorância", para concluir, de forma circular, que o problema da "verdade *versus* erro e ignorância" (afirmado como uma questão de "razão e esclarecimento") pode ser solucionado "apenas por meio da força da razão". E, claro, a garantia que recebemos do êxito da solução educacional proposta por Owen é, mais uma vez, circular: a afirmação de que "no final das contas a verdade tem de prevalecer [...] porque a maioria da humanidade se tornará esclarecida". Nas raízes da generalidade vaga da concepção corretiva de Owen, vemos que o seu gradualismo utópico é, claramente, motivado pelo medo da emergente alternativa hegemônica sócio-histórica do trabalho e pela angústia em relação a ela. Nesse espírito, ele insiste que sob as condições em que os trabalhadores estão condenados a viver, eles

> contrairão uma rude ferocidade de caráter, a qual, se não forem tomadas criteriosas medidas legislativas para prevenir o seu aumento e melhorar as condições dessa classe, *mais*

cedo ou mais tarde fará o país mergulhar num formidável e talvez complexo estado de perigo. A finalidade direta destas observações é incentivar a melhoria e evitar o perigo.⁹

Quando os pensadores punem o "erro e a ignorância", deveriam também indicar a origem dos pecados intelectuais criticados, em vez de admiti-los como seus, base última e irredutível à qual a questão do "por quê?" não pode e não deve ser dirigida. Do mesmo modo, também o apelo à autoridade da "razão e do esclarecimento", como a futura e infalível solução para os problemas analisados, é uma falaciosa esquiva à pergunta: "por que é que a razão e o esclarecimento não funcionaram no passado?", e se isso realmente aconteceu, "qual é a garantia de que funcionarão no futuro?". Certamente, Robert Owen não é de forma alguma o único pensador a apontar o "erro e a ignorância" como a razão explicativa fundamental dos fenômenos denunciados, a serem corrigidos de bom grado pela força todo-poderosa da "razão e do esclarecimento". Ele partilha essa característica e a crença positiva a ela associada – crença que está longe de ter uma fundamentação segura – com a tradição iluminista liberal no seu conjunto. Isso torna a contradição subjacente ainda mais significativa e difícil de superar.

Consequentemente, quando nos opomos à circularidade de tais diagnósticos finais e declarações de fé, que insistem em que, possivelmente, não se pode ir além do ponto explicativo aceito, não podemos nos satisfazer com a ideia, encontrada muitas vezes nas discussões filosóficas, de que essas respostas dúbias surgem do "erro" dos pensadores criticados, o qual, por sua vez, deve ser corrigido com um

---

⁹ Ibidem, p. 124.

"raciocínio adequado". Agir assim equivaleria a cometer o mesmo pecado do adversário.

O discurso crítico de Robert Owen e a sua solução educacional nada têm a ver com um "erro lógico". A diluição da sua diagnose social num ponto crucial e a circularidade das soluções vagas e atemporais oferecidas por ele são *descarrilamentos práticos e necessários*, devidos não a uma deficiência na lógica formal do autor, mas sim à *incorrigibilidade da lógica perversa do capital*. É este último que, categoricamente, lhe nega a possibilidade de encontrar respostas numa genuína associação comunitária com o sujeito social cujo potencial "caráter de rude ferocidade" ele teme. É assim que ele se depara, no final, com a contradição – não lógica, mas fundamentalmente prática –, de querer mudar as relações desumanas estabelecidas, enquanto rejeita, como um perigo sério, a única e possível alternativa social hegemônica. A contradição insolúvel reside na concepção que Owen tem da *mudança significativa* como *perpetuação do existente*. A circularidade que vimos no seu raciocínio é a consequência necessária da *aceitação* de um "resultado": a "razão" triunfante (procedendo em segurança, "passo a passo"), que *prescreve* o "erro e a ignorância" como o problema adequadamente retificado, para o qual se supõe estar a razão eminentemente adequada a resolver. Dessa forma, mesmo que inconscientemente, a relação entre o problema e sua solução está, na verdade, revertida, e com isso ela redefine anistoricamente o primeiro, de maneira a ajustar-se à solução – capitalistamente permissível – que fora conceitualmente preconcebida. É isso o que acontece quando mesmo um reformista social e educacional esclarecido, que honestamente tenta remediar os *efeitos* alienantes e desumanizantes do "poder do dinheiro" e da "busca do lucro", os quais ele deplora, não pode escapar à autoimposta camisa de força das *determinações causais* do capital.

O impacto da incorrigível lógica do capital sobre a educação tem sido grande ao longo do desenvolvimento do sistema. Apenas as *modalidades* de imposição dos imperativos estruturais do capital no âmbito educacional são hoje diferentes, em relação aos primeiros e sangrentos dias da "acumulação primitiva", em sintonia com as circunstâncias históricas alteradas, como veremos na próxima seção. É por isso que hoje o sentido da mudança educacional radical não pode ser senão o rasgar da camisa de força da lógica incorrigível do sistema: perseguir de modo planejado e consistente uma estratégia de rompimento do controle exercido pelo capital, com todos os meios disponíveis, bem como com todos os meios ainda a ser inventados, e que tenham o mesmo espírito.

As soluções não podem ser apenas *formais*: elas devem ser *essenciais*

Parafraseando a epígrafe de José Martí, podemos dizer que "as soluções não podem ser apenas *formais*; elas devem ser *essenciais*".

A educação institucionalizada, especialmente nos últimos 150 anos, serviu – no seu todo – ao propósito de não só fornecer os conhecimentos e o pessoal necessário à máquina produtiva em expansão do sistema do capital, como também gerar e transmitir um quadro de valores que *legitima* os interesses dominantes, como se não pudesse haver nenhuma alternativa à gestão da sociedade, seja na forma "internalizada" (isto é, pelos indivíduos devidamente "educados" e aceitos) ou através de uma dominação estrutural e uma subordinação hierárquica e implacavelmente impostas. A própria História teve de ser totalmente adulterada, e de fato frequente e grosseiramente falsificada para esse propósito. Fidel Castro, falando sobre a falsificação da história cubana após a guerra de independência em relação ao colonialismo espanhol, fornece um exemplo impressionante:

> ¿Qué nos dijeron en la escuela? ¿Qué nos decían aquellos inescrupulosos libros de historia sobre los hechos? Nos decían que la potencia imperialista no era la potencia imperialista, sino que, lleno de generosidad, el gobierno de Estados Unidos, deseoso de darnos la libertad, había intervenido en aquella guerra y que, como consecuencia de eso, éramos libres. Pero no éramos libres por cientos de miles de cubanos que murieron durante 30 años en los combates, no éramos libres por el gesto heroico de Carlos Manuel de Céspedes, el Padre de la Patria, que inició aquella lucha, que incluso prefirió que le fusilaran al hijo antes de hacer una sola concesión; no éramos libres por el esfuerzo heroico de tantos cubanos, no éramos libres por la predica de Martí, no éramos libres por el esfuerzo heroico de Máximo Gómez, Calixto García y tantos aquellos próceres ilustres; no éramos libres por la sangre derramada por las veinte y tantas heridas de Antonio Maceio y su caída heroica en Punta Brava; éramos libres sencillamente porque Teodoro Roosevelt desembarcó con unos cuantos *rangers* en Santiago de Cuba para combatir contra un ejército agotado y prácticamente vencido, o porque los acorazados americanos hundieron a los 'cacharros' de Cerveza frente a la bahía de Santiago de Cuba. Y esas monstruosas mentiras, esas increíbles falsedades eran las que se enseñaban en nuestras escuelas.[10]

---

[10] Fidel Castro, *José Martí: el autor intelectual* (Havana, Editora Política, 1983), p. 162. Ver também p. 150 da mesma obra.

As deturpações desse tipo são a regra quando há riscos realmente elevados, e assim é, particularmente, quando eles são diretamente concernentes à racionalização e à legitimação da ordem social estabelecida como uma "ordem natural" supostamente inalterável. A história deve então ser reescrita e propagandeada de uma forma ainda mais distorcida, não só nos órgãos que em larga escala formam a opinião política, desde os jornais de grande tiragem às emissoras de rádio e de televisão, mas até nas supostamente objetivas teorias acadêmicas. Marx oferece uma caracterização devastadora de como uma questão vital da história do capitalismo, conhecida como *a acumulação primitiva ou original do capital*, é tratada pela ciência da Economia Política. Num vigoroso capítulo de *O capital*, escreve ele*:*

> Essa acumulação primitiva desempenha na Economia Política um papel análogo ao pecado original na Teologia. Adão mordeu a maçã e, com isso, o pecado sobreveio à humanidade. Explica-se sua origem contando-a como anedota ocorrida no passado. Em tempos muito remotos, havia, por um lado, uma elite laboriosa, inteligente e sobretudo parcimoniosa, e, por outro, vagabundos dissipando tudo o que tinham e mais ainda. A lenda do pecado original teológico conta-nos, contudo, como o homem foi condenado a comer seu pão com o suor de seu rosto; a história do pecado original econômico, no entanto, nos revela por que há gente que não tem necessidade disso. Tanto faz. Assim se explica que os primeiros acumularam riquezas, e os últimos, finalmente, nada tinham para vender senão a sua própria pele. E desse pecado original data a pobreza da grande massa que até agora, apesar de todo o seu trabalho, nada possui para vender senão a si mesma, e a riqueza dos poucos, que cresce continuamente, embora há muito tenham para-

do de trabalhar. Tais trivialidades infantis o Sr. Thiers, por exemplo, serve ainda, com a solene seriedade de um homem de Estado, em defesa da *propriété*, aos franceses, outrora tão espirituosos. [...] Na história real, como se sabe, a conquista, a subjugação, o assassínio para roubar, em suma, a violência, desempenham o papel principal. Na suave Economia Política reinou desde sempre o idílio. [...] Na realidade, os métodos da acumulação primitiva são tudo, menos idílicos. [...] Os expulsos pela dissolução dos séquitos feudais e pela intermitente e violenta expropriação da base fundiária, esse proletariado livre como os pássaros não podia ser absorvido pela manufatura nascente com a mesma velocidade com que foi posto no mundo. Por outro lado, os que foram bruscamente arrancados de seu modo costumeiro de vida não conseguiam enquadrar-se de maneira igualmente súbita na disciplina da nova condição. Eles se converteram em massas de esmoleiros, assaltantes, vagabundos, em parte por predisposição e na maioria dos casos por força das circunstâncias. Daí ter surgido em toda a Europa ocidental, no final do século XV e durante todo o século XVI, uma legislação sanguinária contra a vagabundagem. Os ancestrais da atual classe trabalhadora foram imediatamente punidos pela transformação, que lhes foi imposta, em vagabundos e *paupers*. A legislação os tratava como criminosos *"voluntários"* e supunha que dependia *de sua boa vontade seguir trabalhando* nas antigas condições que *não existiam*. [...] Desses pobres fugitivos, dos quais Thomas Morus diz que os coagiu a roubar, "foram executados *72 mil pequenos e grandes ladrões,* sob o reinado de Henrique VIII".[11]

---

[11] Karl Marx, *O capital* (São Paulo, Nova Cultural, 1988), v. 1, livro primeiro, tomo 2, capítulo XXIV, p. 251-2, 265-6.

Naturalmente, nem mesmo os altamente respeitáveis pensadores da classe dominante podiam adotar uma atitude que divergisse do modo cruel de subjugar aqueles que deviam ser mantidos sob o mais estrito controle, no interesse da ordem estabelecida. Não até que a própria mudança das condições de produção modificasse a necessidade de uma força de trabalho – grandemente ampliada – sob as condições expansionistas da revolução industrial.

No tempo em que John Locke escreveu, havia uma maior procura de pessoas empregáveis lucrativamente do que no tempo de Henrique VIII, mesmo que numa quantidade ainda muito distante da que veio a ser demandada durante a revolução industrial. Portanto, a "população excedente", em significativa diminuição, não teve de ser fisicamente eliminada como anteriormente. Todavia, tinha de ser tratada da forma mais autoritária, racionalizando-se ao mesmo tempo a brutalidade e a desumanidade recomendadas em nome de uma pretensiosa moralidade. Desse modo, nas últimas décadas do século XVII, em conformidade com o ponto de vista do capital da economia política da época, o grande ídolo do liberalismo moderno, John Locke – um latifundiário absenteísta* em Somersetshire, e também um dos mais generosamente pagos funcionários do governo – pregava a mesma "trivialidade infantil", tal como descrita por Marx. Locke insistiu em que a causa para

> o crescimento do número dos pobres [...] nada mais é do que o relaxamento da disciplina e a corrupção dos hábitos; a virtude e a diligência são como companheiros constantes de

---

* Mészáros emprega o termo "absenteísta" em relação a Locke, no sentido de um proprietário de terras que não vivia nelas. (N.R.T.)

um lado, assim como o vício e a ociosidade estão do outro. Portanto, o primeiro passo no sentido de fazer os pobres trabalhar [...] deve ser a restrição da sua libertinagem mediante a aplicação estrita das leis estipuladas [por Henrique VIII e outros] contra ela.[12]

Recebendo anualmente uma remuneração quase astronômica, de cerca de 1.500 libras, pelos seus serviços ao governo (como membro da Junta Comercial, um dos seus vários cargos), Locke não hesitou em louvar a perspectiva de os pobres ganharem "um centavo por dia"[13] (*a penny per diem*), ou seja, uma quantia aproximadamente *mil vezes inferior* a seu próprio vencimento, em apenas um dos seus cargos governamentais. Não surpreende, portanto, que "o valor dos seus bens, quando ele faleceu – quase 20.000 libras, das quais 12.000 em dinheiro –, era comparável ao de um comerciante próspero em Londres"[14]. Um grande feito para uma pessoa cuja principal fonte de renda era explorar – confessadamente de bom grado – o Estado!

Além disso, sendo um verdadeiro cavalheiro, com um volumoso patrimônio a resguardar, ele também queria controlar as atividades dos pobres com uma medida perversa, a dos *passes*, propondo que

> Todos os homens que mendiguem sem passes nos municípios litorâneos, sejam eles *mutilados* ou tenham *mais que*

---

[12] John Locke, "Memorandum on the reform of the poor law", em R. H. Fox Bourne, *The life of John Locke* (Londres, King, 1876), v. 2, p. 378.
[13] Ibidem, p. 383.
[14] Neal Wood, *The politics of Locke's philosophy* (Berkeley, University of California Press, 1983), p. 26.

50 anos de idade, e todos os de *qualquer idade* que também mendiguem sem passes nos municípios do interior, longe da orla marítima, devem ser enviados para uma casa de correção próxima e nela mantidos em *trabalhos forçados* durante três anos.[15]

E enquanto as leis brutais de Henrique VIII e de Eduardo VI pretendiam cortar apenas "*metade* da orelha" dos criminosos *reincidentes*, o nosso grande filósofo liberal e funcionário do Estado – uma das figuras dominantes dos primórdios do Iluminismo inglês – sugeriu uma melhoria de tais leis ao recomendar, solenemente, o corte de *ambas* as orelhas, punição a ser aplicada aos réus primários[16].

Ao mesmo tempo, no seu *Memorandum on the reform of the poor law*, Locke também propôs a instituição de oficinas* para os filhos ainda em tenra idade dos pobres, argumentando que

> Os filhos das pessoas trabalhadoras são um corriqueiro fardo para a paróquia, e normalmente são mantidas na ociosidade, de forma que geralmente também se perde o que produziriam para a população até eles completarem doze ou catorze anos de idade. Para esse problema, a solução mais eficaz que somos capazes de conceber, e que portanto humildemente propomos, é a de que, na acima mencionada lei a ser decretada,

---

[15] John Locke, "Memorandum on the reform of the poor law", cit., p. 380.
[16] Idem.
* "*Workhouses*", no original. A tradução mais próxima de *workhouse*, considerado o inglês britânico, é "oficina". No entanto, no inglês americano é "instituição correcional". Certamente, Locke recomendava um trabalho compulsório para os meninos pobres, num presídio especial a que seriam recolhidos. (N.R.T.)

> seja determinado, além disso, que se criem *escolas profissionalizantes* em todas as paróquias, as quais os filhos de todos, na medida das necessidades da paróquia, *entre quatro e treze anos de idade* ... devem ser *obrigados* a frequentar.[17]

Não sendo ele próprio um homem religioso, a principal preocupação de Locke era combinar uma disciplina de trabalho severa e doutrinação religiosa com uma máxima frugalidade financeira municipal e estatal. Ele argumentava que

> Outra vantagem de se levar as crianças a uma escola profissional é que, desta forma, elas seriam *obrigadas a ir à igreja todos os domingos*, juntamente com os seus professores ou professoras e teriam alguma compreensão da religião; ao passo que agora, sendo criadas, em geral, no ócio e sem rédeas, elas são totalmente alheias tanto à *religião e à moralidade* como o são para a *diligência*.[18]

Obviamente, então, as medidas que tinham de ser aplicadas aos "trabalhadores pobres" eram radicalmente diferentes daquelas que os "homens da razão" consideravam adequadas para si próprios. No final tudo se reduzia a relações de poder nuas e cruas, impostas com extrema brutalidade e violência nos primórdios do desenvolvimento capitalista, independentemente da forma como elas eram racionalizadas nos "primeiros anais da economia política", conforme as palavras de Marx.

Naturalmente, as instituições de educação tiveram de ser adaptadas no decorrer do tempo, de acordo com as determinações reprodutivas em mutação do sistema do capital.

---

[17] John Locke, "Memorandum on the reform of the poor law", cit., p. 383.
[18] Ibidem, p. 384-5.

Deste modo, teve de se abandonar a extrema brutalidade e a violência legalmente impostas como instrumentos de educação – não só inquestionavelmente aceitos antes, mas até ativamente promovidos por figuras do início do período iluminista, como o próprio Locke, como acabamos de ver. Elas foram abandonadas não devido a considerações humanitárias, embora tenham sido frequentemente racionalizadas em tais termos, mas porque uma gestão dura e inflexível revelou-se um desperdício econômico, ou era, no mínimo, supérflua. E isso era verdadeiro não só em relação às instituições formais de educação mas também a algumas áreas indiretamente ligadas a ideias educacionais. Tomando-se apenas um exemplo significativo, o êxito inicial da experiência de Robert Owen deveu-se não ao humanitarismo paternalista desse capitalista esclarecido, mas à vantagem produtiva relativa, de início desfrutada pelo empreendimento industrial de sua comunidade utópica. Pois graças à redução da absurdamente longa jornada de trabalho, regra geral na época, a abordagem "owenista" do trabalho levou a uma *intensidade* muito maior de realização produtiva durante a jornada reduzida. Contudo, quando práticas similares foram mais amplamente difundidas, já que tinha de acatar as regras da concorrência capitalista, sua empresa tornou-se condenada e faliu, não obstante as indubitavelmente avançadas concepções de Robert Owen em matéria educacional.

As determinações gerais do capital afetam profundamente *cada âmbito particular* com alguma influência na educação, e de forma nenhuma apenas as instituições educacionais formais. Estas estão estritamente integradas na totalidade dos processos sociais. Não podem funcionar adequadamente exceto se estiverem em sintonia com as *determinações educacionais gerais da sociedade* como um todo.

Aqui a questão crucial, sob o domínio do capital, é assegurar que cada indivíduo adote como suas próprias as metas de reprodução objetivamente possíveis do sistema. Em outras palavras, no sentido verdadeiramente amplo do termo *educação*, trata-se de uma questão de "internalização" pelos indivíduos – tal como indicado no segundo parágrafo desta seção – da legitimidade da posição que lhes foi atribuída na hierarquia social, juntamente com suas expectativas "adequadas" e as formas de conduta "certas", mais ou menos explicitamente estipuladas nesse terreno. Enquanto a *internalização* conseguir fazer o seu bom trabalho, assegurando os parâmetros reprodutivos gerais do sistema do capital, a brutalidade e a violência podem ser relegadas a um segundo plano (embora de modo nenhum sejam permanentemente abandonadas) posto que são modalidades dispendiosas de imposição de valores, como de fato aconteceu no decurso do desenvolvimento capitalista moderno. Apenas em períodos de *crise aguda* volta a prevalecer o arsenal de brutalidade e violência, com o objetivo de impor valores, como o demonstraram em tempos recentes as tragédias dos muitos milhares de desaparecidos no Chile e na Argentina.

As instituições formais de educação certamente são uma parte importante do sistema global de internalização. Mas apenas uma parte. Quer os indivíduos participem ou não – por mais ou menos tempo, mas sempre em um número de anos bastante limitado – das instituições formais de educação, eles devem ser induzidos a uma aceitação ativa (ou mais ou menos resignada) dos princípios reprodutivos orientadores dominantes na própria sociedade, adequados a sua posição na ordem social, e de acordo com as tarefas reprodutivas que lhes foram atribuídas. Sob as condições de escravidão ou servidão feudal isto é, naturalmente, um problema bastante diferente daquele que deve vigorar no capitalismo, mesmo que os trabalhadores não sejam (ou sejam muito pouco) educados formalmente. Todavia, ao internalizar as onipresentes pressões externas, eles devem adotar as perspectivas globais da sociedade mercantilizada como inquestionáveis limites individuais a suas aspirações pessoais. Apenas *a mais consciente das ações coletivas* poderá livrá-los dessa grave e paralisante situação.

Nessa perspectiva, fica bastante claro que a educação formal não é a força ideologicamente *primária* que consolida o sistema do capital; tampouco ela é capaz de, *por si só*, fornecer uma alternativa emancipadora radical. Uma das funções principais da educação formal nas nossas sociedades é produzir tanta conformidade ou "consenso" quanto for capaz, a partir de dentro e por meio dos seus próprios limites institucionalizados e legalmente sancionados. Esperar da sociedade mercantilizada uma sanção ativa – ou mesmo mera tolerância – de um mandato que estimule as instituições de educação formal a abraçar plenamente a grande tarefa histórica do nosso tempo, ou seja, a tarefa de *romper com a lógica do capital no interesse da sobrevivência humana*, seria um milagre monumental. É por isso que, também no âmbito educacional, as soluções "não podem ser *formais*; elas devem ser *essenciais*". Em outras palavras, eles devem abarcar a totalidade das práticas educacionais da sociedade estabelecida.

As soluções educacionais formais, mesmo algumas das maiores, e mesmo quando são sacramentadas pela lei, podem ser completamente *invertidas*, desde que a lógica do capital permaneça intacta como quadro de referências orientador da sociedade. Na Grã-Bretanha, durante várias décadas, os principais debates acerca da educação centraram-se na questão das *comprehensive schools**, a serem instituídas em substituição ao sistema educativo elitista, há muito estabelecido. Durante aqueles debates, o Partido Trabalhista Britânico não só adotou como parte essencial do programa eleitoral a estratégia geral de substituir o privilegiado sistema anterior de aprendizagem pelas "escolas abrangentes", como de fato também sistematizou legalmente essa política, depois de bem-sucedido na formação do governo, embora não tenha, nesse momento, ousado tratar do mais privilegiado setor da educação, as "escolas públicas"**. Hoje, contudo, o governo britânico do *New Labour* está determinado a *desmantelar* o sistema da escola abrangente, não só com a renovação das antigas instituições educacionais elitistas, mas também com a instituição de uma nova variedade de "academias" que favorecem a classe média, apesar das numerosas críticas, que partem mesmo de seus próprios adeptos, acerca do estabelecimento de um sistema de "duas vias" (*two-tier system*), tal como está prestes a ser estabelecido e fortalecido pelo governo britânico no National Health Service.

Assim, não se pode realmente escapar da "formidável prisão" do sistema escolar estabelecido (condenado nestes termos por José Martí) reformando-o, simplesmente. Pois o que existia antes de tais reformas será certamente restabelecido, mais cedo ou mais tarde, devido ao absoluto fracasso em desafiar, por meio de uma mudança insti-

---
* Na Grã-Bretanha, escola secundária não seletiva, para jovens com todos os níveis de habilidade, em contraste com as *grammar schools*, escolas onde a matrícula é controlada por um processo de seleção. (N.R.T.)

** "Público", nesse contexto, significa "privado" na Grã-Bretanha; refere-se às escolas que cobram anuidades exorbitantes. (N.R.T.)

tucional isolada, a lógica autoritária global do próprio capital. O que precisa ser confrontado e alterado fundamentalmente é *todo* o sistema de *internalização*, com todas as suas dimensões, visíveis e ocultas. Romper com a lógica do capital na área da educação equivale, portanto, a substituir as formas onipresentes e profundamente enraizadas de internalização mistificadora por uma alternativa *concreta* abrangente.

A internalização é a questão para a qual nos devemos voltar agora.

"A aprendizagem é a nossa própria vida, desde a juventude até a velhice"

Na sua época, Paracelso estava absolutamente certo, e não está menos certo atualmente: "A aprendizagem é a nossa própria vida, desde a juventude até a velhice, de fato quase até a morte; ninguém passa dez horas sem nada aprender". A grande questão é: o que é que aprendemos de uma forma ou de outra? Será que a aprendizagem conduz à autorrealização dos indivíduos como "indivíduos socialmente ricos" humanamente (nas palavras de Marx), ou está ela a serviço da perpetuação, consciente ou não, da ordem social alienante e definitivamente incontrolável do capital? Será o conhecimento o elemento necessário para transformar em realidade o ideal da emancipação humana, em conjunto com uma firme determinação e dedicação dos indivíduos para alcançar, de maneira bem-sucedida, a autoemancipação da humanidade, apesar de todas as adversidades, ou será, pelo contrário, a adoção pelos indivíduos, em particular, de modos de comportamento que apenas favoreçam a concretização dos objetivos reificados do capital? Considerando esse mais amplo e mais profundo significado da educação, que inclui de forma proeminente todos os momentos da nossa vida ativa, podemos concordar com Paracelso em que muita coisa (praticamente tudo) é decidida, para o bem e para o mal – não apenas para nós próprios como indivíduos mas simultaneamente também para a humanidade –, em todas aquelas inevitáveis horas que não podemos passar "sem aprender". Isso porque "a aprendizagem é, verdadeiramente, a nossa própria vida". E como tanta coisa é decidida dessa forma, para o bem e para o mal, o êxito depende de se tornar *consciente* esse processo de aprendizagem, no sentido amplo e "paracelsiano" do termo, de forma a maximizar o *melhor* e a minimizar o *pior*.

Apenas a mais ampla das concepções de educação nos pode ajudar a perseguir o objetivo de uma mudança verdadeiramente radical, proporcionando instrumentos de pressão que rompam a lógica mistificadora do capital. Essa maneira de abordar o assunto é, de fato, tanto a esperança como a garantia de um possível êxito. Em contraste, cair na tentação dos reparos institucionais formais – "passo a passo", como afirma a sabedoria reformista desde tempos imemoriais – significa permanecer aprisionado dentro do círculo vicioso institucionalmente articulado e protegido dessa lógica autocentrada do capital. Essa forma de encarar tanto os problemas em si mesmos como as suas soluções "realistas" é cuidadosamente cultivada e propagandeada nas nossas sociedades, enquanto a alternativa genuína e de alcance amplo e prático é desqualificada aprioristicamente e descartada bombasticamente, qualificada como "política de formalidades". Essa espécie de abordagem é incuravelmente *elitista* mesmo quando se pretende democrática. Pois define tanto a educação como a atividade intelectual, da maneira mais tacanha possível, como a única forma certa e adequada de preservar os "padrões civilizados" dos que são designados para "educar" e governar, contra a "anarquia e a subversão". Simultaneamente, ela exclui a esmagadora maioria da humanidade do âmbito da ação como *sujeitos*, e condena-os, para sempre, a serem apenas considerados como *objetos* (e *manipulados* no mesmo sentido), em nome da suposta superioridade da elite: "meritocrática", "tecnocrática", "empresarial", ou o que quer que seja.

Contra uma concepção tendenciosamente estreita da educação e da vida intelectual, cujo objetivo obviamente é manter o proletariado "no seu lugar", Gramsci argumentou, enfaticamente, há muito tempo, que

> não há nenhuma atividade humana da qual se possa excluir qualquer intervenção intelectual – o *Homo faber* não pode ser separado do *Homo sapiens*. Além disso, fora do trabalho, todo homem desenvolve alguma atividade intelectual; ele é, em outras palavras, um "filósofo", um artista, um homem com sensibilidade; ele partilha uma concepção do mundo, tem uma linha consciente de conduta moral, e portanto *contribui para manter ou mudar a concepção do mundo*, isto é, para estimular novas formas de pensamento.[19]

Como podemos observar, a posição de Gramsci é profundamente democrática. É a única sustentável. A sua conclusão é bifacetada. Primeiro, ele insiste em que *todo* ser humano contribui, de uma forma ou de outra, para a

---

[19] Antonio Gramsci, "The formation of intellectuals", em *The Modern Prince and Other Writings* (Londres, Lawrence and Wishart, 1957), p. 121.

formação de uma concepção de mundo predominante. Em segundo lugar, ele assinala que tal contribuição pode cair nas categorias contrastantes da "manutenção" e da "mudança". Pode não ser apenas uma ou outra, mas ambas, simultaneamente. Qual das duas é mais acentuada, e em que grau, isso obviamente dependerá da forma como as forças sociais conflitantes se confrontam e defendem seus interesses alternativos importantes. Em outras palavras, a dinâmica da história não é uma força externa misteriosa qualquer e sim uma intervenção de uma enorme multiplicidade de seres humanos no processo histórico real, na linha da "manutenção e/ou mudança" – num período relativamente estático, muito mais de "manutenção" do que de "mudança", ou vice-versa no momento em que houver uma grande elevação na intensidade de confrontos hegemônicos e antagônicos – de uma dada concepção do mundo que, por conseguinte, atrasará ou apressará a chegada de uma mudança social significativa.

Isso coloca em perspectiva as reivindicações elitistas de políticos autonomeados e educadores. Pois eles não podem mudar a seu bel-prazer a "concepção de mundo" da sua época, por mais que queiram fazê-lo, e por mais gigantesco que possa ser o aparelho de propaganda à sua disposição. Um *processo coletivo inevitável*, de proporções elementares, não pode ser expropriado definitivamente, mesmo pelos mais espertos e generosamente financiados agentes políticos e intelectuais. Não fosse por esse inconveniente "fato brutal", posto tão em evidência por Gramsci, o domínio da educação institucional formal e estreita poderia reinar para sempre em favor do capital.

Por maior que seja, nenhuma *manipulação vinda de cima* pode transformar o imensamente complexo processo de modelagem da visão geral do mundo de nossos tempos – constituída por incontáveis concepções particulares na base de interesses hegemônicos alternativos objetivamente irreconciliáveis, independentemente de quanto os indivíduos possam estar conscientes dos antagonismos estruturais subjacentes – num dispositivo *homogêneo e uniforme*, que funcione como um promotor *permanente* da lógica do capital. Nem mesmo o aspecto da "manutenção" pode ser considerado um constituinte *passivo* da concepção de mundo que predomina entre os indivíduos. No entanto, mesmo que de uma maneira muito diferente do aspecto da "mudança" da visão do mundo de uma época, a "manutenção" só é *ativa* e benéfica para o capital enquanto se mantém ativa. Isso significa que a "manutenção" tem (e deve ter) sua própria base de racionalidade, independentemente de quão problemática for em relação à alternativa hegemônica do trabalho. Isto é, ela não só deve ser produzida pelas classes de indivíduos estruturalmente dominadas em determinado momento no tempo, como também tem de ser *constantemente reproduzida* por eles, sujeita (ou não) à permanência de sua base de racionalidade original. Quando uma maioria significativa da população – algo próximo de setenta por cento em muitos países – se afasta com desdém do "processo democrático" do ritual eleitoral, tendo lutado durante décadas, no passado, pelo direito ao voto, isso mostra uma mudança real de atitude em face da ordem dominante; pode-se dizer que é uma rachadura nas espessas camadas de gesso cuidadosamente depositadas sobre a fachada "democrática" do sistema. Contudo, de modo nenhum isso poderia ou deveria ser interpretado como um afastamento radical da "manutenção" da concepção de mundo atualmente dominante.

Naturalmente, as condições são muito mais favoráveis à atitude de "mudança" e à emergência de uma concepção alternativa do mundo, em meio a uma crise revolucionária, descrita por Lenin como o tempo "em que as classes dominantes já não podem governar à maneira antiga, e as classes subalternas já não querem viver à maneira antiga". Esses são momentos absolutamente extraordinários na história, e não podem ser prolongados como se poderia desejar, como o demonstraram no passado os fracassos das estratégias voluntaristas[20]. Portanto, seja em relação à "manutenção", seja em relação à "mudança" de uma dada concepção do mundo, a questão fundamental é a necessidade de modificar, de uma forma *duradoura*, o modo de *internalização* historicamente prevalecente. Romper a lógica

---

[20] "A dificuldade é que o 'momento' da política radical é limitado estritamente pela natureza da crise em questão e pelas determinações temporais de seu desdobramento. A brecha aberta em tempos de crise não pode ser deixada assim para sempre, e as medidas adotadas para fechá-la, desde os primeiros passos em diante, têm sua própria lógica e impacto cumulativo nas intervenções subsequentes. Além disso, tanto a estrutura socioeconômica existente quanto seu correspondente conjunto de instituições políticas tendem a agir contra as iniciativas radicais através da sua própria inércia, tão logo tenha passado o pior momento da crise e assim se tornando possível contemplar novamente 'a linha de menor resistência'. [...] Por mais paradoxal que possa soar, somente uma autodeterminação radical da política pode prolongar o momento da política radical. Se não se deseja que este 'momento' seja dissipado sob o peso da pressão econômica imediata, tem de ser encontrada uma maneira para estender sua influência para muito além do pico da própria crise (quando a política radical tende a afirmar sua efetividade como uma lei). E, desde que a duração temporal da crise como tal não pode ser prolongada à vontade – nem poderia ser, desde que uma política voluntarista, com seu 'estado de emergência' artificialmente manipulado, só poderia tentar fazê-lo em seu próprio risco, através do despojamento das massas, em vez de assegurar o seu sustento –, a solução só pode surgir de uma bem-sucedida conversão de um 'tempo transitório' a um 'espaço permanente' por meio da reestruturação dos poderes de tomada de decisão" (I. Mészáros, *Para além do capital: rumo a uma teoria da transição*, São Paulo, Boitempo, 2002, p. 1077-8).

do capital no âmbito da educação é absolutamente inconcebível sem isso. E, mais importante, essa relação pode e deve ser expressa também de uma forma *concreta*. Pois através de uma mudança radical no modo de internalização agora opressivo, que sustenta a concepção dominante do mundo, o domínio do capital pode ser e será quebrado.

Nunca é demais salientar a importância estratégica da concepção mais ampla de educação, expressa na frase: "a aprendizagem é a nossa própria vida". Pois muito do nosso processo contínuo de aprendizagem se situa, felizmente, fora das instituições educacionais formais. Felizmente, porque esses processos não podem ser manipulados e controlados de imediato pela estrutura educacional formal legalmente salvaguardada e sancionada. Eles comportam tudo, desde o surgimento de nossas respostas críticas em relação ao ambiente material mais ou menos carente em nossa primeira infância, do nosso primeiro encontro com a poesia e a arte, passando por nossas diversas experiências de trabalho, sujeitas a um escrutínio racional, feito por nós mesmos e pelas pessoas com quem as partilhamos e, claro, até o nosso envolvimento, de muitas diferentes maneiras e ao longo da vida, em conflitos e confrontos, inclusive as disputas morais, políticas e sociais dos nossos dias. Apenas uma pequena parte disso tudo está diretamente ligada à educação formal. Contudo, os processos acima descritos têm uma enorme importância, não só nos nossos primeiros anos de formação, como durante a nossa vida, quando tanto deve ser reavaliado e trazido a uma unidade coerente, orgânica e viável, sem a qual não poderíamos adquirir uma personalidade, e nos fragmentaríamos em pedaços sem valor, deficientes mesmo a serviço de objetivos sociopolíticos autoritários. O pesadelo em *1984*, de Orwell, não é realizável precisamente porque a esmagadora maioria das nossas experiências constitutivas permanece – e permanecerá sempre – fora do âmbito do controle e da coerção institucionais formais. Certamente, muitas escolas podem causar um grande estrago, merecendo portanto, totalmente, as severas críticas de Martí, que as chamou de "formidáveis prisões". Mas nem mesmo os piores grilhões têm como predominar uniformemente. Os jovens podem encontrar alimento intelectual, moral e artístico noutros lugares. Pessoalmente, fui muito afortunado por, aos oito anos de idade, contar com um professor notável. Não na escola, mas quase por acaso. Ele tem sido meu companheiro desde então, todos os dias. Seu nome é Attila József: um gigante da literatura mundial. Aqueles que leram a epígrafe do meu livro, *Para além do capital**, já conhecem o seu nome. Mas permitam-me citar, em espanhol, algumas linhas de outro dos seus grandes poemas, escolhido para epígrafe do meu livro *O desafio e o fardo do tempo histórico***.

> *Ni Dios ni la mente, sino*
> *el carbón, el hierro y el petróleo,*
>
> *la materia real nos ha creado*
> *echándonos hirvientes y violentos*
> *en los moldes de esta*
> *sociedad horrible,*
> *para afincarnos, por la humanidad,*
> *en el eterno suelo.*
>
> *Tras los sacerdotes, los soldatos y los burgueses,*
> *al fin nos hemos vuelto fieles*
> *oidores de las leyes:*

---

* São Paulo, Boitempo, 2002. (N. E.)
** São Paulo, Boitempo, 2007. (N. E.)

> *por eso el sentido de toda obra humana*
> *zumba en nosotros*
> *como el violón profundo.*[21]

Essas linhas foram escritas há setenta anos, em 1933, quando Hitler conquistou o poder na Alemanha. Mas elas falam hoje a todos nós com maior intensidade do que em qualquer época anterior. Elas nos convidam a "ouvir as leis atenta e fielmente" e a proclamá-las sonora e claramente por toda parte. Porque hoje está em jogo nada menos do que a própria sobrevivência da humanidade. Nenhuma prática não educacional formal pode extinguir a duradoura validade e o poder de tais influências.

Sim, "a aprendizagem é a nossa própria vida", como Paracelso afirmou há cinco séculos, e também muitos outros que seguiram seu caminho, mas que talvez nunca tenham sequer ouvido seu nome. Mas para tornar essa verdade algo óbvio, como deveria ser, temos de reivindicar uma educação plena para toda a vida, para que seja possível colocar em perspectiva a sua parte formal, a fim de instituir, também aí, uma reforma radical. Isso não pode ser feito sem desafiar as formas atualmente dominantes de *internalização*, fortemente consolidadas a favor do capital pelo próprio sistema educacional formal. De fato, da maneira como estão as coisas hoje, a principal função da educação formal é agir como um cão de guarda *ex-officio* e *autoritário* para induzir um conformismo generalizado em determinados modos de internalização, de forma a subordiná-los às exigências da ordem estabelecida. O fato de a educação formal não poder

---

[21] Attila József, *Al borde de la ciudad* (A város peremén), traduzido para o espanhol por Fayad Jamís.

ter êxito na criação de uma *conformidade universal* não altera o fato de, no seu todo, ela estar orientada para aquele fim. Os professores e alunos que se rebelam contra tal desígnio fazem-no com a munição que adquiriram tanto dos seus companheiros rebeldes, dentro do domínio formal, quanto a partir da área mais ampla da experiência educacional "desde a juventude até a velhice".

Necessitamos, então, urgentemente, de uma atividade de "contrainternalização", coerente e sustentada, que não se esgote na *negação* – não importando quão necessário isso seja como uma fase nesse empreendimento – e que defina seus objetivos fundamentais, como a criação de uma alternativa abrangente *concretamente sustentável* ao que já existe. Há cerca de trinta anos, editei e apresentei um volume de ensaios do notável historiador e pensador político filipino Renato Constantino. Na época, ele era mantido sob as mais rígidas restrições autoritárias do regime cliente dos Estados Unidos, encabeçado pelo "general" Marcos. A certa altura, ele conseguiu passar-me a mensagem de que gostaria que o volume se intitulasse *Neo-Colonial Identity and Counter-Consciousness* [A identidade neocolonial e a contraconsciência][22], nome com que de fato o livro mais tarde apareceu. Totalmente ciente do impacto escravizador da internalização da consciência colonial no seu país, Constantino tentou sempre dar ênfase à tarefa histórica de produzir um sistema de educação alternativo e duradouro, completamente à disposição do povo, muito além do âm-

---

[22] Renato Constantino, *Neo-colonial identity and counter-counsciousness: essays on cultural decolonization* (Londres, The Merlin Press, 1978). Nos Estados Unidos, publicado por M. E. Sharpe, Nova York, White Plains, 1978.

bito educacional formal. A "contraconsciência" adquiriu assim um significado positivo. Relativamente ao passado, Constantino assinalou que

> desde seu início, a colonização espanhola operava mais através da religião do que pela força, afetando portanto, profundamente, a consciência. [...] A modelagem de consciências no interesse do controle colonial seria repetida noutro plano pelos americanos, que após uma década de dura repressão operavam de modo similar através da consciência, usando dessa vez a educação e outras instituições culturais.[23]

E ele [Constantino] deixou claro que a constituição de uma contraconsciência descolonizada envolvia diretamente as massas populares no empreendimento crítico. Eis como ele definia a "filosofia de libertação" que advogava:

> Em si, ela é algo em desenvolvimento, dependendo do aumento da conscientização. [...] Não é contemplativa, é ativa e dinâmica e abrange a situação objetiva, assim como a reação subjetiva das pessoas envolvidas. Não pode ser uma tarefa de um grupo selecionado, mesmo que esse grupo se veja motivado pelos melhores interesses do povo. Precisa da participação da *"espinha dorsal da nação"*.[24]

Em outras palavras, a abordagem educacional defendida por ele tinha de adotar a totalidade das práticas político-educacional-culturais, na mais ampla concepção do que seja uma transformação emancipadora. É desse modo que uma contraconsciência, estrategicamente concebida como alter-

---

[23] Ibidem, p. 20-1.
[24] Ibidem, p. 23.

nativa necessária à internalização dominada colonialmente, poderia realizar sua grandiosa missão educativa.

De fato, o papel dos educadores e sua correspondente responsabilidade não poderiam ser maiores. Pois, como José Martí deixou claro, a busca da cultura, no verdadeiro sentido do termo, envolve o mais alto risco, por ser inseparável do objetivo fundamental da libertação. Ele insistia que "ser cultos es el único modo de ser libres". E resumia de uma bela maneira a *razão de ser* da própria educação: "Educar es depositar en cada hombre toda la obra humana que le ha antecedido; es hacer a cada hombre resumen del mundo viviente hasta el día en que vive..."[25]. Isso é quase impossível dentro dos estreitos limites da educação formal, tal como ela está constituída em nossa época, sob todo tipo de severas restrições. O próprio Martí percebeu que todo o processo de educar deveria ser refeito sob todos os aspectos, do começo até um fim sempre em aberto, de modo a transformar a "formidável prisão" num lugar de emancipação e de realização genuína. Foi por isso que ele, por sua conta, também escreveu e publicou, em 1889, um periódico mensal para os jovens, *La Edad de Oro*[26].

Esse é o espírito em que todas as dimensões da educação podem ser reunidas. Dessa forma, os princípios orientadores da educação formal devem ser desatados do seu tegumento da

---

[25] Citado em Jorge Lezcano Pérez, Introdução a *José Martí: 150 Aniversario* (Brasília, Casa Editora da Embaixada de Cuba no Brasil, 2003), p. 8.

[26] A intenção de Martí era que esse fosse um projeto progressivo; não foi por sua culpa que apenas quatro números pudessem ser publicados, por falta de apoio financeiro. Os quatro números estão agora reproduzidos no volume 18 das *Obras completas* de José Martí, cit., p. 299-503. É impossível ler hoje a preocupação expressa nestas páginas sem ficar profundamente comovido.

lógica do capital, de imposição de conformidade, e em vez disso mover-se em direção a um intercâmbio ativo e efetivo com práticas educacionais mais abrangentes. Eles (os princípios) precisam muito um do outro. Sem um progressivo e consciente intercâmbio com processos de educação abrangentes como "a nossa própria vida", a educação formal não pode realizar as suas muito necessárias *aspirações emancipadoras*. Se, entretanto, os elementos progressistas da educação formal forem bem-sucedidos em redefinir a sua tarefa num espírito orientado em direção à perspectiva de uma alternativa hegemônica à ordem existente, eles poderão dar uma contribuição vital para romper a lógica do capital, não só no seu próprio e mais limitado domínio como também na sociedade como um todo.

A educação como "transcendência positiva da autoalienação do trabalho"

Vivemos sob condições de uma desumanizante alienação e de uma subversão fetichista do real estado de coisas dentro da consciência (muitas vezes também caracterizada como "reificação") porque o capital não pode exercer suas funções sociais metabólicas de ampla reprodução de nenhum outro modo. Mudar essas condições exige uma intervenção consciente em todos os domínios e em todos os níveis da nossa existência individual e social. É por isso que, segundo Marx, os seres humanos devem mudar "completamente as condições da sua existência industrial e política, e, consequentemente, *toda a sua maneira de ser*"[27].

---

[27] Karl Marx, *The poverty of philosophy* (Londres, Lawrence and Wishart, s. d.), p. 123.

Marx também enfatizou o fato de que – se estivermos à procura do ponto arquimediano a partir do qual as contradições mistificadoras da nossa ordem social podem ser tornadas tanto inteligíveis como superáveis – encontramos na raiz de todas as variedades de alienação a historicamente revelada *alienação do trabalho*: um processo de *autoalienação* escravizante. Mas, precisamente porque estamos preocupados com um processo *histórico*, imposto não por uma ação exterior mítica de predestinação metafísica (caracterizada como o inevitável "dilema humano"[28]), tampouco por uma "natureza humana" imutável – modo como muitas vezes esse problema é tendenciosamente descrito – mas pelo próprio trabalho, é possível *superar a alienação* com uma *reestruturação radical* das nossas condições de existência há muito estabelecidas e, por conseguinte, de "toda a nossa maneira de ser".

Consequentemente, a necessária intervenção consciente no processo histórico, orientada pela adoção da tarefa de superar a alienação por meio de um novo metabolismo reprodutivo social dos "produtores livremente associados", esse tipo de ação estrategicamente sustentada não pode ser apenas uma questão de *negação*, não importa quão radical. Pois, na visão de Marx, todas as formas de negação permanecem *condicionadas pelo objeto da sua negação*. E, de fato, é pior do que isso. Como a amarga experiência histórica nos demonstrou amplamente também no passado recente, a inércia condicionadora do objeto negado tende a acrescer poder com o passar do tempo, impondo primeiro a busca de "uma linha de menor resistência" e subsequentemente – com uma cada vez maior intensidade – a "racionalidade"

---

[28] "Estamos condenados ao vale das lágrimas", numa versão; e, na outra, "estamos condenados à angústia da liberdade".

de regressar às "práticas testadas" do *status quo ante*, que certamente sobreviverão nas dimensões não reestruturadas da ordem anterior.

É aqui que a educação – no sentido mais abrangente do termo, tal como foi examinado anteriormente – desempenha um importante papel. Inevitavelmente, os primeiros passos de uma grande transformação social na nossa época envolvem a necessidade de manter sob controle o estado político hostil que se opõe, e pela sua própria natureza deve se opor, a qualquer ideia de uma reestruturação mais ampla da sociedade. Nesse sentido, a *negação radical* de toda a estrutura de comando político do sistema estabelecido deve afirmar-se, na sua inevitável negatividade predominante, na *fase inicial* da transformação a que se vise. Mas, mesmo nessa fase, e na verdade antes da conquista do poder político, a negação necessária só é adequada para o papel assumido se for orientada efetivamente pelo *alvo global* da transformação social visada, como uma *bússola* para toda a caminhada. Portanto, desde o início o papel da educação é de importância vital para romper com a internalização predominante nas escolhas políticas circunscritas à "legitimação constitucional democrática" do Estado capitalista que defende seus próprios interesses. Pois também essa "contrainternalização" (ou contraconsciência) exige a antecipação de uma visão geral, concreta e abrangente, de uma forma radicalmente diferente de gerir as funções globais de decisão da sociedade, que vai muito além da expropriação, há muito estabelecida, do poder de tomar todas as decisões fundamentais, assim como das suas imposições sem cerimônia aos indivíduos, por meio de políticas como uma forma de alienação por excelência na ordem existente.

Contudo, a tarefa histórica que temos de enfrentar é incomensuravelmente maior que a negação do capitalismo.

O conceito *para além do capital* é inerentemente *concreto*. Ele tem em vista a realização de uma ordem social metabólica que *sustente concretamente a si própria*, sem nenhuma referência autojustificativa para os males do capitalismo. Deve ser assim porque a negação direta das várias manifestações de alienação é ainda condicional naquilo que ela nega, e portanto permanece vulnerável em virtude dessa condicionalidade.

A estratégia reformista de defesa do capitalismo é de fato baseada na tentativa de postular uma mudança gradual na sociedade através da qual se removem *defeitos específicos*, de forma a minar a base sobre a qual as reivindicações de um *sistema alternativo* possam ser articuladas. Isso é factível somente numa teoria tendenciosamente fictícia, uma vez que as soluções preconizadas, as "reformas", na prática são estruturalmente irrealizáveis dentro da estrutura estabelecida de sociedade. Dessa forma torna-se claro que o objeto real do reformismo não é de forma alguma aquele que ele reivindica para si próprio: a verdadeira solução para os inegáveis defeitos específicos, mesmo que sua magnitude seja deliberadamente minimizada, e mesmo que o modo planejado para lidar com eles seja reconhecidamente (mas de forma a isentar a própria responsabilidade) muito lento. O único termo que de fato tem um sentido objetivo nesse discurso é "gradual", e mesmo este é abusivamente expandido dentro de uma estratégia global, o que não pode ocorrer. Pois os defeitos específicos do capitalismo não podem sequer ser observados superficialmente, quanto mais ser realmente resolvidos sem que se faça referência ao *sistema como um todo*, que necessariamente os produz e constantemente os *reproduz*.

A recusa reformista em abordar as contradições do *sistema* existente, em nome de uma presumida legitimidade de lidar *apenas com as manifestações particulares* – ou, nas suas variações "pós-modernas", a rejeição apriorística das chamadas *grandes narratives* em nome de *petits récits* idealizados arbitrariamente – é na realidade apenas uma forma peculiar de rejeitar, sem uma análise adequada, a possibilidade de se ter qualquer sistema rival, e uma forma igualmente apriorística de *eternizar* o sistema capitalista. O objeto real da argumentação reformista é, de forma especialmente mistificadora, o *sistema dominante como tal*, e não as *partes*, quer do sistema rejeitado quer do defendido, não obstante o alegado zelo reformista explicitamente declarado pelos proponentes da "mudança gradual"[29]. O inevitável fracasso em revelar a verdadeira preocupação do reformismo decorre da sua incapacidade de sustentar a *validade atemporal* da ordem política e socioeconômica estabelecida. É, na realidade, totalmente inconcebível sustentar a validade atemporal da ordem política socioeconomicamente estabelecida. Na realidade, é completamente inconcebível sustentar a validade atemporal e a permanência de qualquer coisa *criada historicamente*. É isso que torna inevitável, em todas as variedades sociopolíticas do reformismo, tentar desviar a atenção das

---

[29] A polêmica de Bernstein contra Marx é absolutamente caricatural. Em vez de travar uma discussão teórica adequada com Marx, Bernstein prefere seguir outro caminho, lançando-lhe um insulto gratuito, ao condenar, sem nenhum fundamento, a "armação dialética" de Marx – e de Hegel. Como se a transformação dos graves problemas do raciocínio dialético num insulto desqualificante pudesse, por si só, solucionar as importantes questões políticas e sociais em jogo. O leitor interessado pode encontrar uma discussão razoavelmente detalhada dessa controvérsia no capítulo 8 de *O poder da ideologia* (cit.). A expressão "grandes narrativas" na pós-modernidade é usada analogamente ao insulto desqualificador de Bernstein contra a condenada "armação dialética".

determinações *sistêmicas* – que no final das contas definem o caráter de todas as questões vitais – para discussões mais ou menos aleatórias sobre *efeitos* específicos enquanto se deixa a sua incorrigível *base causal* não só incontestavelmente permanente como também omissa.

Tudo isso permanece escondido pela própria natureza do discurso reformista. E precisamente por causa do caráter mistificador de tal discurso, cujos elementos fundamentais muitas vezes permanecem escondidos até para os seus principais ideólogos, não tem nenhuma importância para os fiéis desse credo que num determinado momento da história – como com a chegada do *New Labour* na Grã-Bretanha e seus partidos irmãos à Alemanha, à França, à Itália e a outros países – a própria ideia de qualquer reforma social significativa seja completamente abandonada. Contudo, as reivindicações de um pretenso "avanço" (que não levam a nenhum lugar realmente diferente) são dissimuladamente reafirmadas. Assim, mesmo as antigas diferenças entre os principais partidos são convenientemente obliteradas no agora dominante sistema, de estilo americano, de "dois partidos" (*um partido*), não importando quantos "subpartidos" possamos ainda encontrar em determinados países. O que permanece constante é a defesa mais ou menos oculta das atuais *determinações sistêmicas* da ordem existente. O pernicioso axioma que assevera "não haver alternativa" – referindo-se não apenas a determinadas instituições políticas mas à ordem social estabelecida em geral – é tão aceitável para a ex-primeira-ministra do Partido Conservador britânico, Margaret Thatcher (que o tutelou e popularizou), como para o chamado *New Labour* do atual primeiro-ministro Tony Blair, assim como para muitos outros no espectro político parlamentar mundial.

Tendo em vista o fato de que o processo de reestruturação radical deve ser orientado pela estratégia de uma reforma concreta e abrangente de todo o sistema no qual se encontram os indivíduos, o desafio que deve ser enfrentado não tem paralelos na história. Pois o cumprimento dessa nova tarefa histórica envolve simultaneamente a mudança qualitativa das condições objetivas de reprodução da sociedade, no sentido de reconquistar o controle total do próprio capital – e não simplesmente das personificações do capital que afirmam os imperativos do sistema como capitalistas dedicados – e a *transformação progressiva da consciência* em resposta às condições necessariamente cambiantes. Portanto, o papel da educação é soberano, tanto para a elaboração de estratégias apropriadas e adequadas para mudar as condições objetivas de reprodução, como para a *automudança consciente* dos indivíduos chamados a concretizar a criação de uma ordem social metabólica radicalmente diferente. É isso que se quer dizer com a concebida "sociedade de produtores livremente associados". Portanto, não é surpreendente que na concepção marxista a "*efetiva transcendência da autoalienação do trabalho*" seja caracterizada como uma tarefa inevitavelmente educacional.

A esse respeito, dois conceitos principais devem ser postos em primeiro plano: a *universalização da educação* e a *universalização do trabalho como atividade humana autorrealizadora*. De fato, nenhuma das duas é viável sem a outra. Tampouco é possível pensar na sua estreita inter-relação como um problema para um futuro muito distante. Ele surge "aqui e agora", e é relevante para todos os níveis e graus de desenvolvimento socioeconômico. Encontramos um significativo exemplo disso num discurso de Fidel Castro em 1983, relativo aos problemas que Cuba teve de enfrentar ao aceitar o imperativo da *universalização da educação*, apesar das dificuldades aparentemente proibitivas não só em termos econômicos, mas também em conseguir os professores necessários. Foi assim que ele resumiu o problema:

> A la vez habíamos llegado ya a una situación en que el estudio se *universalizaba*. Y para universalizar el estudio en un país subdesarrollado y no petrolero – digamos –, desde el punto de vista económico, era necesario *universalizar el trabajo*. Pero aunque fuésemos petroleros, habría sido altamente conveniente universalizar el trabajo, *altamente formativo* en todos los sentidos, y *altamente revolucionario*. Que por algo estas ideas fueron planteadas hace mucho tiempo por Marx y por Martí.[30]

As extraordinárias realizações educacionais em Cuba, desde a eliminação rápida e total do analfabetismo até os mais elevados níveis de pesquisa científica criativa[31] – num país que tinha de lutar não só contra as enormes limitações econômicas do subdesenvolvimento como também contra o sério impacto de 45 anos de bloqueio hostil –, somente são compreensíveis dentro desse quadro. Essas conquistas

---

[30] Fidel Castro, *José Martí: el autor intelectual*, cit., p. 224.
[31] Até o governo hostil dos Estados Unidos teve de reconhecer essa proeza de um modo capenga: concedeu a uma empresa farmacêutica americana na Califórnia o direito de concluir um acordo comercial multimilionário com Cuba, em julho de 2004, para a distribuição de uma droga anticancerígena capaz de salvar vidas, suspendendo assim, por causa disso, uma de suas regras do selvagem bloqueio. Obviamente, mesmo assim, o governo dos Estados Unidos manteve a sua hostilidade ao negar o direito de transferir em "dinheiro vivo" os fundos envolvidos, obrigando, em vez disso, a sua própria empresa a negociar algum tipo de acordo de "troca" (*barter*), fornecendo produtos agrícolas ou industriais americanos em troca da pioneira medicina cubana.

também demonstraram que não há motivo para esperar a chegada de um "período favorável", num futuro indefinido. Um avanço pelas sendas de uma abordagem à educação e à aprendizagem qualitativamente diferente pode e deve começar "aqui e agora", tal como indicado antes, se quisermos efetivar as mudanças necessárias no momento oportuno.

Não pode haver uma solução efetiva para a autoalienação do trabalho sem que se promova, conscienciosamente, a universalização conjunta do trabalho e da educação. Contudo, não poderia existir uma possibilidade real para isso no passado, devido à subordinação estrutural-hierárquica e à dominação do trabalho. Nem mesmo quando alguns grandes pensadores tentaram conceituar esses problemas dentro de um espírito mais progressista. Paracelso, um modelo para o *Fausto* de Goethe, tentou universalizar o trabalho e a aprendizagem da seguinte forma:

> embora, no que se refere a seu corpo, o homem tenha sido criado por inteiro, ele não foi criado assim no que se refere à sua "arte". Todas as artes lhe foram dadas, mas não numa forma imediatamente reconhecível; ele deve descobri-las pela aprendizagem. [...] A maneira adequada reside no trabalho e na ação, em fazer e produzir; o homem perverso nada faz, mas fala muito. Não devemos julgar um homem pelas suas palavras, mas pelo seu coração. O coração fala através de palavras apenas quando elas são confirmadas pelas ações. [...] Ninguém vê o que está nele escondido, mas somente o que o seu trabalho revela. Portanto, o homem deveria trabalhar continuamente para descobrir o que Deus lhe deu.[32]

---

[32] Paracelso, *Selected Writings*, cit., p. 176-7, 183, 189.

De fato, Paracelso afirmava que o trabalho (*Arbeit*) devia ser o princípio geral ordenador da sociedade. Ele chegou mesmo ao ponto de defender a expropriação da fortuna dos ricos ociosos, de forma a compeli-los a ter uma vida produtiva[33]. Como podemos ver, a ideia de universalizar o trabalho e a educação, em sua indissociabilidade, é muito antiga em nossa história. É portanto muito significativo que essa ideia tenha sobrevivido apenas como uma ideia bastante frustrada, dado que sua realização pressupõe necessariamente a *igualdade substancial* de todos os seres humanos. O grave fato de a desumanizante *jornada de trabalho* dos indivíduos representar também a maior parte do seu *tempo de vida* teve de ser desumanamente ignorado. As funções *controladoras* da reprodução metabólica social tiveram de ser separadas e postas em oposição à esmagadora maioria da humanidade, à qual se destinou a execução de tarefas subalternas num determinado sistema político e socioeconômico. No mesmo espírito, não só o controle do trabalho estruturalmente subordinado, mas também a dimensão do controle da educação tinham de ser mantidos num compartimento separado, sob o domínio da personificação do capital na nossa época. É impossível mudar a relação de subordinação e dominação estrutural sem a percepção da verdadeira – *substantiva* e não apenas *igualdade formal* (que é sempre profundamente afetada, se não completamente anulada, pela dimensão substantiva real) – igualdade. É por isso que, apenas dentro da perspectiva de ir *para além do capital*, o desafio de universalizar o trabalho e a educação, em sua indissolubilidade, surgirá na agenda histórica.

---

[33] Ver Paracelso, *Leben und Lebensweisheit in Selbstzeugnissen* (Leipzig, Reclam, 1956), p. 134.

Na concepção de educação há muito dominante, os governantes e os governados, assim como os educacionalmente privilegiados (sejam esses indivíduos empregados como educadores ou como administradores no controle das instituições educacionais) e aqueles que têm de ser educados, aparecem em compartimentos separados, quase estanques. Um bom exemplo dessa visão é expresso no verbete "educação" da renomada *Encyclopaedia Britannica*. E diz o seguinte:

> A ação do Estado moderno não pode se limitar à educação elementar. O princípio da "carreira aberta ao talento" não é mais um tema para uma teoria humanitária abstrata, uma aspiração fantástica de sonhadores revolucionários; para as grandes comunidades industriais do mundo moderno, é convincente como necessidade prática, imposta pela feroz concorrência internacional que prevalece nas artes e nas atividades da vida. A nação que não quiser fracassar na luta pelo êxito comercial, com tudo o que isso implica para a vida nacional e para a civilização, deve cuidar que suas indústrias sejam supridas com uma oferta constante de trabalhadores adequadamente dotados, tanto em termos de inteligência geral como de treinamento técnico. Também no terreno político, a crescente democratização das instituições torna necessário que o estadista prudente trate de proporcionar uma vasta difusão de conhecimentos e o cultivo de um alto padrão de inteligência na população, *especialmente nos grandes Estados imperiais, os quais confiam as mais significativas questões do mundo político ao julgamento pela voz popular.*[34]

---

[34] Ver o artigo sobre "Educação" na 13ª edição (1926) da *Encyclopaedia Britannica*.

Mesmo nos seus próprios termos de referência, esse artigo acadêmico – sem dúvida impressionante em sua investigação histórica – é bastante deficiente devido a razões ideológicas claramente identificáveis. Pois exagera enormemente os efeitos benéficos sobre a educação da classe trabalhadora advindos da "concorrência internacional feroz" de capitais nacionais. Um instigante livro de Harry Braverman, *Trabalho e capital monopolista: a degradação do trabalho no século XX*[35], faz uma avaliação incomparavelmente melhor das forças alienantes e brutalizantes que incidem sobre o trabalhador na moderna empresa capitalista. Elas projetam uma luz negativa e penetrante sobre a deturpação da "luta pelo sucesso empresarial", acerca do qual a *Encyclopaedia Britannica* postula um impacto "civilizador", quando muitas vezes, na realidade, o resultado necessário é diametralmente oposto. E mesmo em referência às próprias empresas industriais, a chamada "administração científica" de Frederic Winslow Taylor revela o segredo de quão elevados devem ser os requisitos educacionais/intelectuais nas empresas capitalistas para que elas conduzam uma operação bem-sucedida, competitivamente. F. W. Taylor, o fundador desse sistema de controle de gestão autoritário, assim escreveu, com um indisfarçável cinismo:

> Um dos primeiros requisitos para que um homem seja apto a lidar com ferro fundido como ocupação regular é que ele seja

---

[35] [Rio de Janeiro, Zahar, 1977.] Num documentário televisivo sobre a linha de montagem de automóveis em Detroit, perguntava-se a um grupo de trabalhadores quanto tempo eles demoravam para aprender a sua tarefa. Eles olhavam uns para os outros e começavam a rir, respondendo com um indisfarçável desprezo: "oito minutos; é só isso!".

tão *estúpido* e fleumático que mais *se assemelhe, no seu quadro mental, a um boi*. [...] O operário que é mais adequado para o carregamento de lingotes é incapaz de entender a real ciência que regula a execução desse trabalho. *Ele é tão estúpido, que a palavra "percentagem" não tem qualquer significado para ele.*[36]

De fato, muito científico! Quanto à proposição segundo a qual "uma vasta difusão de conhecimento e o cultivo de um alto padrão de inteligência" é o objetivo adotado de bom grado pelo moderno Estado capitalista – *especialmente para os grandes estados imperiais que confiam os assuntos mais importantes da política mundial ao julgamento pela voz popular* – ela é bastante ridícula e obviamente de caráter demasiadamente apologético para ser considerada, mesmo por um momento, como um argumento sério a favor das causas com que se reivindica a melhoria da educação, de inspiração democrática, e politicamente lúcidas, sob condições de domínio do capital sobre a sociedade.

A educação *para além do capital* visa a uma ordem social qualitativamente diferente. Agora não só é factível lançar-se pelo caminho que nos conduz a essa ordem como o é também necessário e urgente. Pois as incorrigíveis determinações destrutivas da ordem existente tornam imperativo contrapor aos irreconciliáveis antagonismos estruturais do sistema do capital uma *alternativa concreta* e sustentável para a regulação da reprodução metabólica social, se quisermos garantir as

---

[36] F. W. Taylor, *Scientific management* (Nova York, Harper & Row, 1947), p. 29 [ed. bras.: *Princípios de administração científica*, São Paulo, Atlas, 1990]. A esse respeito, ver capítulos 2 e 3 de *O poder da ideologia* (cit.), especialmente as seções 2.1: "Expansão do pós-guerra e 'pós-ideologia'", e 3.1: "A ideologia administrativa e o Estado".

condições elementares da sobrevivência humana. O papel da educação, orientado pela única perspectiva efetivamente viável de ir para além do capital, é absolutamente crucial para esse propósito.

A *sustentabilidade* equivale ao *controle consciente* do processo de reprodução metabólica social por parte de produtores livremente associados, em contraste com a insustentável e estruturalmente estabelecida característica de adversários" e a destrutibilidade fundamental da ordem reprodutiva do capital. É inconcebível que se introduza esse controle consciente dos processos sociais – uma forma de controle, que por acaso também é a única forma factível de *autocontrole*: o requisito necessário para os *produtores serem associados livremente* – sem ativar plenamente os recursos da educação no sentido mais amplo do termo.

O grave e insuperável defeito do sistema do capital consiste na *alienação de mediações de segunda ordem* que ele precisa impor a todos os seres humanos, incluindo-se as personificações do capital. De fato, o sistema do capital não conseguiria sobreviver durante uma semana sem as suas mediações de segunda ordem: principalmente o Estado, a relação de troca orientada para o mercado, e o trabalho, em sua subordinação estrutural ao capital. Elas (as mediações) são necessariamente interpostas entre indivíduos e indivíduos, assim como entre indivíduos e suas aspirações, virando essas de "cabeça para baixo" e "pelo avesso", de forma a conseguir subordiná-los a imperativos fetichistas do sistema do capital. Em outras palavras, essas mediações de segunda ordem impõem à humanidade uma *forma alienada de mediação*. A *alternativa concreta* a essa forma de controlar a reprodução metabólica social só pode ser a *automediação*, na sua inseparabilidade do *autocontrole* e da *autorrealização através da liberdade substantiva e da igualdade*, numa ordem social reprodutiva conscienciosamente regulada pelos indivíduos associados. É também inseparável dos *valores* escolhidos pelos próprios indivíduos sociais, de acordo com suas reais necessidades, em vez de lhes serem impostos – sob forma de *apetites* totalmente *artificiais*, pelos imperativos reificados da acumulação lucrativa do capital, como é o caso hoje. *Nenhum* desses objetivos emancipadores é concebível sem a intervenção mais ativa da educação, entendida na sua orientação concreta, no sentido de uma ordem social que vá para além dos limites do capital.

Vivemos numa ordem social na qual mesmo os requisitos mínimos para a satisfação humana são insensivelmente negados à esmagadora maioria da humanidade, enquanto os índices de desperdício assumiram proporções escandalosas, em conformidade com a mudança da reivindicada *destruição produtiva*, do capitalismo no passado, para a realidade, hoje predominante, da *produção destrutiva*. As gritantes desigualdades sociais, atualmente em evidência, e ainda mais pronunciadas no seu desenvolvimento revelador, são bem ilustradas pelos seguintes números:

> Segundo as Nações Unidas, no seu *Relatório sobre o Desenvolvimento Humano*, o 1% mais rico do mundo aufere tanta renda quanto os 57% mais pobres. A proporção, no que se refere aos rendimentos, entre os 20% mais ricos e os 20% mais pobres no mundo aumentou de 30 para 1 em 1960, para 60 para 1 em 1990 e para 74 para 1 em 1999, e estima-se que atinja os 100 para 1 em 2015. Em 1999-2000, 2,8 bilhões de pessoas viviam com menos de dois dólares por dia, 840 milhões estavam subnutridos, 2,4 bilhões não tinham acesso a nenhuma forma aprimorada de serviço de saneamento, e uma em cada seis crianças em idade de frequentar a escola primária não estava

na escola. Estima-se que cerca de 50% da força de trabalho não agrícola esteja desempregada ou subempregada.[37]

O que está em jogo aqui não é simplesmente *a deficiência contingente* dos recursos econômicos disponíveis, a ser superada mais cedo ou mais tarde, como já foi desnecessariamente prometido, *e sim a inevitável deficiência estrutural* de um sistema que opera através dos seus *círculos viciosos de desperdício e de escassez*. É impossível romper esse círculo vicioso sem uma intervenção efetiva na educação, capaz, simultaneamente, de *estabelecer prioridades* e de definir as *reais necessidades*, mediante plena e livre deliberação dos indivíduos envolvidos. Sem que isso ocorra, a escassez pode ser – e será – reproduzida numa escala sempre crescente, em conjunto com uma geração de necessidades artificiais absolutamente devastadora, como tem ocorrido atualmente, a serviço da insanamente orientada autoexpansão do capital e de uma contraproducente acumulação.

Uma concepção oposta e efetivamente articulada numa educação *para além do capital* não pode ser confinada a um limitado número de anos na vida dos indivíduos mas, devido a suas funções radicalmente mudadas, abarca-os a todos. A "autoeducação de iguais" e a "autogestão da ordem social reprodutiva" não podem ser separadas uma da outra. A autogestão – pelos produtores livremente associados – das funções vitais do processo metabólico social é um empreendimento *progressivo* – e inevitavelmente *em mudança*. O mesmo vale para as práticas educacionais que habilitem o indivíduo a realizar essas funções na medida em que sejam redefinidas por eles próprios,

---

[37] Minqi Li, "After Neoliberalism: Empire, Social Democracy, or Socialism?", *Monthly Review*, janeiro 2004, p. 21.

de acordo com os requisitos em mudança dos quais eles são agentes ativos. A educação, nesse sentido, é verdadeiramente uma *educação continuada*. Não pode ser "vocacional" (o que em nossas sociedades significa o confinamento das pessoas envolvidas a funções utilitaristas estreitamente predeterminadas, privadas de qualquer poder decisório), tampouco "geral" (que deve ensinar aos indivíduos, de forma paternalista, as "habilidades do pensamento"). Essas noções são arrogantes presunções de uma concepção baseada numa totalmente insustentável separação das dimensões prática e estratégica. Portanto, a "educação continuada", como constituinte necessário dos princípios reguladores de uma sociedade para além do capital, é inseparável da prática significativa da *autogestão*. Ela é parte integral desta última, como representação no início da *fase de formação* na vida dos indivíduos, e, por outro lado, no sentido de permitir um efetivo *feedback* dos indivíduos educacionalmente enriquecidos, com suas necessidades mudando corretamente e redefinidas de modo equitativo, para a determinação global dos princípios orientadores e objetivos da sociedade.

Nosso dilema histórico é definido pela *crise estrutural* do *sistema do capital global*. Está na moda falar, com total autocomplacência, sobre o grande êxito da globalização capitalista. Um livro recentemente publicado e propagandeado de modo devotado tem como título: *Why globalization works*[38]. Contudo, o autor, que é o principal comentarista econômico do *Financial Times* de Londres, esquece-se de fazer a pergunta realmente importante: *Ela funciona para quem?* Se é que funciona. Certamente funciona, por enquanto (mas não tão bem), para os tomadores de decisão do capital transnacional, e não

---

[38] Ver Martin Wolf, *Why globalization works* (New Haven, Yale University Press, 2004).

para a esmagadora maioria da humanidade, que tem de sofrer as consequências. E nenhuma *integração jurisdicional* advogada pelo autor – isto é, em linguagem direta, o maior controle direto sobre um deplorável "grande número de Estados" por parte de umas poucas potências imperialistas, especialmente a maior delas – vai conseguir remediar a situação. Na realidade, a globalização do capital não funciona nem pode funcionar. Pois não consegue superar as contradições irreconciliáveis e os antagonismos que se manifestam na crise estrutural global do sistema. A própria globalização capitalista é uma manifestação contraditória dessa crise, tentando subverter a relação *causa/efeito*, na vã tentativa de curar alguns efeitos negativos mediante outros *efeitos ilusoriamente desejáveis*, porque é estruturalmente incapaz de se dirigir às suas *causas*.

A nossa época de *crise estrutural global* do capital é também uma época histórica de *transição* de uma ordem social existente para outra, qualitativamente diferente. Essas são as duas características fundamentais que definem o espaço histórico e social dentro do qual os grandes desafios para romper a lógica do capital, e ao mesmo tempo também para elaborar planos estratégicos para uma educação que vá além do capital, devem se juntar. Portanto, a nossa tarefa educacional é, simultaneamente, a tarefa de uma transformação social, ampla e emancipadora. Nenhuma das duas pode ser posta à frente da outra. Elas são inseparáveis. A transformação social emancipadora radical requerida é inconcebível sem uma concreta e ativa contribuição da educação no seu sentido amplo, tal como foi descrito neste texto. E vice-versa: a educação não pode funcionar suspensa no ar. Ela pode e deve ser articulada adequadamente e redefinida constantemente no seu inter-relacionamento dialético com as condições cambiantes e as necessidades da transformação social emancipadora e progressiva em curso. Ou ambas têm êxito e se sustentam, ou fracassam juntas. Cabe a nós *todos* – todos, porque sabemos muito bem que "os educadores também têm de ser educados" – mantê-las de pé, e não deixá-las cair. As apostas são elevadas demais para que se admita a hipótese de fracasso.

Nesse empreendimento, as tarefas *imediatas* e as suas *estruturas estratégicas* globais não podem ser separadas ou opostas umas às outras. O êxito estratégico é impensável sem a realização das tarefas imediatas. Na verdade, a própria estrutura estratégica é a síntese global de inúmeras tarefas imediatas, sempre renovadas e expandidas, e desafios. Mas a solução destes só é possível se a abordagem do imediato for orientada pela sintetização da estrutura estratégica. Os passos mediadores em direção ao futuro – no sentido da única forma viável de *automediação* – só podem começar do *imediato*, mas iluminados pelo espaço que ela pode, legitimamente, ocupar dentro da estratégia global orientada pelo futuro que se vislumbra.

EDUCAÇÃO:
O DESENVOLVIMENTO CONTÍNUO
DA CONSCIÊNCIA SOCIALISTA*

1

O papel da educação não poderia ser maior na tarefa de assegurar uma transformação socialista plenamente sustentável. A concepção de educação aqui referida – considerada não como um período estritamente limitado da vida dos indivíduos, mas como o desenvolvimento contínuo da consciência socialista na sociedade como um todo – assinala um afastamento radical das práticas educacionais dominantes sob o capitalismo avançado. É compreendida como a extensão historicamente válida e a transformação radical dos grandes ideais educacionais defendidos no passado mais remoto. Pois esses ideais educacionais tiveram de ser não apenas minados com o passar do tempo, mas ao final, completamente extintos sob o impacto da alienação que avança cada vez mais e da sujeição do desenvolvimento cultural em sua integridade aos interesses cada vez mais restritivos da expansão do capital e da maximização do lucro.

---

* Este apêndice integra o livro *O desafio e o fardo do tempo histórico*, publicado pela Boitempo em novembro de 2007. (N. E.)

Não apenas Paracelso no século XVI, mas também Goethe e Schiller[1] no fim do século XVIII e nas primeiras décadas do século XIX ainda acreditavam em um ideal educacional que poderia orientar e enriquecer humanamente os indivíduos ao longo de toda a sua vida. Ao contrário, a segunda metade do século XIX foi já marcada pelo triunfo do *utilitarismo* e o século XX capitulou sem reservas também no campo educacional às concepções mais estreitas de "racionalidade instrumental". Quanto mais "avançada" a sociedade capitalista, mais unilateralmente centrada na produção de riqueza reificada como um fim em si mesma e na exploração das instituições educacionais em todos os níveis, desde as escolas preparatórias até as universidades – também na forma da "privatização" promovida com suposto zelo ideológico pelo Estado – para a perpetuação da sociedade de mercadorias.

Não é surpreendente, pois, que o desenvolvimento tenha caminhado de mãos dadas com a doutrinação da esmagadora maioria das pessoas com os valores da ordem social do capital como a *ordem natural* inalterável, racionalizada e justificada pelos ideólogos mais sofisticados do sistema em nome da "objetividade científica" e da "neutralidade de valor". As condições reais da vida cotidiana foram plenamente dominadas pelo *ethos* capitalista, sujeitando os indivíduos – como uma questão de determinação estruturalmente assegurada – ao imperativo de ajustar suas aspirações de maneira conforme, ainda que não pudessem fugir à áspera situação da escravidão assalariada. Assim, o "capitalismo

---

[1] Ver o capítulo 8 ("A educação para além do capital") de *O desafio e o fardo do tempo histórico* (São Paulo, Boitempo, 2007) e o capítulo 10 ("A alienação e a crise da educação") de *A teoria da alienação em Marx* (São Paulo, Boitempo, 2006), p. 263-82.

avançado" pôde seguramente ordenar seus negócios de modo a limitar o período de educação institucionalizada em uns poucos anos economicamente convenientes da vida dos indivíduos e mesmo fazê-lo de maneira discriminadora/elitista. As determinações estruturais objetivas da "normalidade" da vida cotidiana capitalista realizaram com êxito o restante, a "educação" *contínua* das pessoas no espírito de tomar como dado o *ethos* social dominante, internalizando "consensualmente", com isso, a proclamada inalterabilidade da *ordem natural* estabelecida. Eis porque mesmo os melhores ideais da *educação moral* de Kant e da *educação estética* de Schiller – que tinham a intenção de ser, para seus autores, os antídotos necessários e possíveis da progressiva tendência de alienação desumanizadora, contraposta pelos indivíduos moralmente preocupados em sua vida pessoal à tendência criticada – foram condenados a permanecer para sempre no reino das *utopias educacionais* irrealizáveis. Eles não poderiam equiparar-se sob nenhum aspecto à realidade prosaica das forças que impuseram com sucesso a todo custo o imperativo autoexpansivo fundamentalmente destrutivo do capital. Pois a tendência socioeconômica da alienação que tudo traga foi suficientemente poderosa para extinguir sem deixar rastro, até mesmo os ideais mais nobres da época do Iluminismo.

Nesse sentido, podemos ver que, embora o período de educação institucionalizada seja limitado sob o capitalismo a relativamente poucos anos da vida dos indivíduos, a dominação ideológica da sociedade prevalece por toda a sua vida, ainda que em muitos contextos essa dominação não tenha de assumir preferências doutrinárias explícitas de valor. E isso torna ainda mais pernicioso o problema do domínio ideológico do capital sobre a sociedade como um todo e, por certo, ao mesmo tempo sobre seus indivíduos convenientemente isolados. Quer os indivíduos particulares tenham ou não consciência disso, não podem sequer encontrar a mínima gota de "fundamento neutro de valor" em sua sociedade, muito embora a explícita doutrinação ideológica lhes garanta de forma enganosa o oposto, pretendendo – e convidando os indivíduos a se identificarem "autonomamente" com essa pretensão – que eles sejam plenamente *soberanos* em sua escolha dos valores em geral, assim como se afirma que eles são *consumidores soberanos* das mercadorias produzidas capitalisticamente, adquiridas com base nas *escolhas soberanas* nos supermercados controlados de modo cada vez mais monopolista. Tudo isso é uma parte integrante da educação capitalista pela qual os indivíduos particulares são diariamente e por toda parte *embebidos nos valores da sociedade de mercadorias*, como algo lógico e natural.

Assim, a sociedade capitalista resguarda com vigor não apenas seu sistema de educação contínua, mas simultaneamente também de *doutrinação permanente*, mesmo quando a doutrinação que impregna tudo não parece ser o que é, por ser tratada pela ideologia vigente "consensualmente internalizada" como o sistema de crença positivo compartilhado de maneira legítima pela "sociedade livre" estabelecida e totalmente não objetável. Ademais, o que torna as coisas ainda piores é que a educação contínua do sistema do capital tem como cerne a asserção de que a própria ordem social estabelecida não precisa de *nenhuma mudança significativa*. Precisa apenas de uma "regulação mais exata" em suas margens, que se deve alcançar pela metodologia idealizada do "pouco a pouco". Por conseguinte, o significado mais profundo da *educação contínua* da ordem estabelecida é a imposição arbitrária da crença na *absoluta inalterabilidade* de suas determinações estruturais fundamentais.

Uma vez que o significado real de educação, digno de seu preceito, é fazer os indivíduos viverem positivamente à altura dos desafios das condições sociais historicamente em transformação – das quais são também os produtores mesmo sob as circunstâncias mais difíceis – todo sistema de educação orientado à *preservação acrítica* da ordem estabelecida a todo custo só pode ser compatível com os mais *pervertidos ideais e valores educacionais*. Eis porque, diferentemente da época do Iluminismo, na fase ascendente das transformações capitalistas, que podia ainda produzir *utopias educacionais* nobres, como as concepções de Kant e Schiller anteriormente referidas, a fase decadente da história do capital, que culmina na apologia da destruição ilimitada levada a cabo pelo desenvolvimento monopolista e imperialista no século XX e sua extensão no século XXI, teve de trazer consigo uma *crise educacional* antes inconcebível, ao lado do culto mais agressivo e cínico do *contravalor*. Este último inclui em nosso tempo as pretensões de *supremacia racista*, a horrenda presunção do "direito moral de usar armas nucleares por prevenção e antecipação", mesmo contra países que jamais tiveram armas nucleares, e a justificação mais hipócrita do *imperialismo liberal* supostamente mais "humano", ainda que inevitavelmente destrutivo. Diz-se que esse novo imperialismo é correto e apropriado para nossas *condições pós-modernas*: uma teoria vestida, em sua busca por respeitabilidade intelectual, com o esquematismo grotesco da *pré-modernidade, modernidade, pós-modernidade*, depois do colapso ignominioso do imperialismo. Eis a concepção que vemos defender-se hoje, com toda a seriedade, pelos mandarins indicados e realizadores políticos do próprio capital, projetada como a estratégia necessária a ser imposta sobre os "Estados fracassados" peremptoriamente decretados como tal e sobre o chamado "Eixo do Mal".

Essas ideias têm o intuito de ser princípios e valores orientadores estratégicos apropriados às nossas condições históricas. São designadas para estabelecer os parâmetros gerais no interior dos quais os indivíduos devem agora ser educados, de modo a possibilitar que os Estados capitalistas dominantes vençam a "luta ideológica" – um conceito repentinamente propagandeado em termos positivos com grande frequência, em agudo contraste com os mitos felizes e liberais do "fim da ideologia" e do "fim da história" pregados e generosamente promovidos há pouco tempo – sinônima da "guerra contra o terror". Assim, é difícil até mesmo imaginar uma degradação mais completa dos ideais educacionais, comparada ao passado mais distante do capital, do que hoje confrontamos ativamente. E tudo isso é promovido em nosso tempo, com todos os meios à disposição do sistema, em nome da "democracia e liberdade": palavras que condimentam em abundância os discursos de presidentes e primeiros-ministros. Nada poderia dispor com mais clareza a natureza pervertida da *falsa consciência* capitalista, plenamente complementada pela doutrinação ubíqua exercida de modo mais ou menos espontâneo sobre os indivíduos em sua vida cotidiana, pela sociedade de mercadorias.

2

A concepção socialista da educação é qualitativamente diferente mesmo dos ideais educacionais mais nobres da burguesia ilustrada, formulados na fase ascendente do desenvolvimento capitalista. Pois essas concepções sofriam inevitavelmente os limites impostos sobre seus criadores pelo fato de se identificarem com o *ponto de vista do capital*, ainda que assumissem uma postura crítica diante dos excessos da nova ordem emergente e do impacto negativo de algumas tendências já visíveis sobre o desenvolvimento pessoal dos indivíduos. Eles o fizeram em nítido contraste com os ideólogos mais recentes do capital, que se recusam a ver qualquer coisa errada em sua estimada sociedade.

As maiores personagens do Iluminismo burguês eram favoráveis ao pleno desenvolvimento humanamente realizador dos indivíduos particulares. Mas queriam ver sua efetivação no interior da estrutura da sociedade capitalista liberta de seus traços "prosaicos" ameaçadores e seus corolários humanamente empobrecedores, incluindo o "deboche moral" contra o qual Adam Smith elevou sua eloquente voz. Entretanto, enxergando o mundo do ponto de vista do capital, não puderam divisar a *mudança radical* exigida na ordem social como um todo para fazer prevalecer seus próprios ideais. Pois o ponto de vista do capital adotado por eles tornava impossível entrever a *incompatibilidade estrutural* entre seus próprios ideais educacionais – aplicados aos indivíduos projetados, moral e esteticamente louváveis, de suas contraimagens utópicas – e a ordem social triunfantemente emergente.

Não é possível destacar com suficiente intensidade o caráter vital do conceito de *mudança* na teoria educacional. Pois ele estabelece obrigatoriamente o horizonte e a viabilidade última (ou não) de todo o sistema de educação. Nesse sentido, sob as condições históricas vigentes, a mudança visada pelas grandes personagens burguesas iluministas tinha de permanecer caracteristicamente assimétrica. Pois, embora fosse suficientemente radical em relação à denunciada *ordem feudal* da sociedade dominante no *antigo regime*, com relação ao futuro, a concepção de mudança que eles defendiam só poderia se estender ao desenvolvimento educacional pessoal dos indivíduos particulares, como um meio ilusório de se contrapor às tendências sócio-históricas negativas.

O enfrentamento crítico das *determinações estruturais da ordem social do capital* – que necessariamente afetava, e deve sempre afetar do modo mais significativo, o desenvolvimento dos indivíduos – tinha de permanecer muito além do seu alcance. Os *corretivos* às tendências denunciadas de desenvolvimento podiam ser entrevistos por eles apenas em termos individualistas. Quer dizer, de um modo que, no final das contas, mantinha intacta a conformação estrutural e os crescentes antagonismos da ordem capitalista vitoriosamente emergente. Eis porque os "antídotos" propostos, mesmo na variedade mais consistentemente elaborada da *educação estética* dos indivíduos, tinham de permanecer como *contraimagens utópicas* irrealizáveis. Pois é impossível mandar parar os *efeitos negativos* de uma poderosa tendência social na formação dos *indivíduos* sem identificar – e impugnar efetivamente nos termos *sociais* apropriados – suas determinações causais que os produziram e prosseguiram inexoravelmente reproduzindo.

Assim, a adoção do ponto de vista do capital como a *premissa social insuperável* de seu horizonte crítico limitou até mesmo as maiores personagens da burguesia em ascensão a projetar a luta dos indivíduos particulares, e antes isolados, contra os *efeitos e consequências* negativos das forças sociais que os representantes do Iluminismo queriam reformar por meio da educação pessoal idealmente adequada dos indivíduos. Uma luta que jamais poderia ser levada a bom termo, tanto porque não se pode vencer uma *força social* poderosa pela ação fragmentada de *indivíduos isolados*, como porque as *determinações estruturais causais* da ordem criticada devem ser rivalizadas e impugnadas no *domínio causal*, em seus próprios termos de referência: isto é, pela força historicamente sustentável de uma *alternativa estrutural* coerente. Mas isso exigiria, é claro, a adoção de uma perspectiva social radicalmente diferente pelos pensadores em questão. Um ponto de vista capaz de avaliar de forma realista as limitações inescapáveis da potencialidade reformadora do capital contra suas próprias determinações causais estruturais. Não é surpreendente, pois, que a aceitação do ponto de vista do capital como o horizonte geral de sua própria visão tenha restringido as medidas retificadoras plausíveis dos grandes pensadores do Iluminismo à defesa de contramedidas incorrigivelmente utópicas, mesmo na fase ascendente ainda relativamente flexível da progressão histórica do sistema do capital. Isto é, antes da época em que as determinações de classe antagônicas da sociedade de mercadorias plenamente desenvolvida se tornassem petrificadas na forma de uma estrutura social irreformável, cada vez mais reificada e alienada.

É aí que podemos ver claramente o contraste entre os ideais e práticas educacionais do passado e as concepções apropriadas aos desafios históricos que temos de enfrentar no curso de uma transformação socialista sustentável. Jamais se pode formular o preceito da educação socialista nos termos de alguns *ideais utópicos* estabelecidos diante dos indivíduos aos quais eles devem supostamente se conformar, em uma esperança bastante ingênua de contrariar e superar os problemas de sua vida social – como indivíduos mais ou menos isolados, porém "moralmente conscientes" – por meio da força de um *tem de ser* moral abstrato ilusoriamente estipulado. Isso nunca funcionou no passado e nunca poderia funcionar no futuro, não obstante a óbvia necessidade de satisfazer os desafios muito reais que surgem constantemente das condições históricas alteradas e dos constrangimentos objetivos da situação das pessoas envolvidas, como membros de sua sociedade. Seria extremamente autoderrotista conceber a educação socialista como um antídoto individualista aos defeitos da vida social, por mais desejável e louvável que o *tem de ser* moral abstrato proposto possa parecer à primeira vista. O fracasso total das "exortações stakhanovistas" para transformar a ética do trabalho na sociedade soviética é uma boa ilustração do problema em jogo. Um fracasso em virtude da ignorância dissoluta das *determinações causais* nas raízes da vigente ética do trabalho da *força de trabalho relutante* sob as condições dadas, que emergem da exclusão autoritária dos trabalhadores do processo de decisão.

O sucesso da educação socialista é plausível porque a sua perspectiva de avaliação – ao contrário das limitações estruturais inerentes à adoção do ponto de vista do capital no passado – não tem de desviá-la dos problemas reais da sociedade determinados de maneira causal (que demandam retificações sociais apropriadas) e voltá-la a um apelo moral abstrato/individualista que somente poderia produzir projeções utópicas irrealizáveis. As causas sociais devem e podem ser enfrentadas na estrutura educacional socialista em um nível adequado: como causas historicamente originadas e determinações estruturais claramente identificáveis, bem como desafiáveis. E precisamente porque o desafio de enfrentar as demandas, por mais dolorosas que sejam, da *mudança social significativa* não é um conceito inibidor nessa abordagem, mas, antes, uma ideia *positiva* inseparável de uma visão *ilimitada* do futuro conscientemente conformado; as forças educacionais exigidas podem ser ativadas com êxito para a realização dos objetivos e valores adotados do desenvolvimento socialista da sociedade visado por seus membros.

Por conseguinte, o preceito ideal e o papel prático da educação no curso da transformação socialista consistem em sua intervenção efetiva continuada no processo social em andamento por meio da atividade dos indivíduos *sociais*, conscientes dos desafios que têm de confrontar *como indivíduos sociais*, de acordo com os valores exigidos e elaborados por eles para cumprir seus desafios. Isso é inconcebível sem o desenvolvimento de sua consciência moral. Mas a moralidade em questão não é uma imposição sobre os indivíduos particulares a partir de fora, muito menos de cima, em nome de um discurso moral destacado e abstrato de *tem de ser*, como a inscrição cinzelada no mármore em muitas igrejas inglesas: "Teme teu Deus e obedece teu Rei!". Tampouco é o equivalente secular a esses comandos externos pseudo-religiosos impostos sobre os indivíduos em todas as sociedades governadas pelos imperativos do capital. Ao contrário, a moralidade da educação socialista se preocupa com a *mudança social* de longo alcance racionalmente concebida e recomendada. Seus preceitos se articulam com base na avaliação concreta das tarefas escolhidas e da parte exigida pelos indivíduos em sua determinação consciente de realizá-las. É desse modo que a educação socialista pode definir-se como o *desenvolvimento contínuo da consciência socialista* que não se separa e interage contiguamente com a transformação histórica geral em andamento em qualquer momento dado. Em outras palavras, as características definidoras da educação socialista emergem e interagem profundamente com todos os princípios orientadores relevantes do desenvolvimento socialista.

3

Em vista de sua postura radicalmente diferente com relação à *mudança*, aplicada não apenas ao desenvolvimento pessoal dos indivíduos, mas simultaneamente também às determinações estruturais vitais de sua sociedade, somente no interior de uma perspectiva socialista o pleno significado da educação pode chegar à fruição. Mas colocar essa circunstância em relevo está longe de ser por si só suficiente. Pois o outro lado da moeda é que – em virtude do papel seminal da educação na mudança geral da sociedade – é impossível alcançar os objetivos vitais de um desenvolvimento histórico sustentável sem a *contribuição permanente* da educação ao processo de transformação *conscientemente visado*.

A linha de demarcação, que opõe o desenvolvimento socialista defendido às restrições e contradições do passado, é desenhada pela crítica necessária da *falsa consciência* agigantada em uma variedade de formas sob o domínio do metabolismo social pelo capital. Um metabolismo dominado pela inversão mistificadora das relações reais de intercâmbio sociorreprodutivo sob o fetiche usurpador da hegemonia supostamente legitimada do capital "produtivo" e da dependência total do trabalho capitalisticamente "empregado", assim impondo com êxito à consciência da sociedade como um todo e de seus indivíduos efetivamente trabalhadores e produtivos a falsa consciência da "personificação das coisas e reificação das pessoas"[2], como já vimos.

---

[2] Karl Marx, "Economic Manuscripts of 1861-63", em Karl Marx e Friedrich Engels, *Collected Works* (Nova York, International Publishers, 1975, v. 34), p. 457 [ed. bras.: *Teorias da mais-valia*, Rio de Janeiro, Civilização Brasileira, 1980, v. 1, p. 384-406].

Naturalmente, o poder da falsa consciência não pode ser superado pela ilustração educacional (por mais bem intencionada) somente dos indivíduos. Os indivíduos particulares como indivíduos isolados estão à mercê da falsa consciência reificadora, porque as relações reprodutivas reais historicamente dadas em que estão inseridos só podem funcionar com base na "personificação das coisas e reificação das pessoas". Consequentemente, para alterar a inversão mistificadora e em última instância destrutiva da relação reprodutiva sustentável dos seres humanos, contrapondo-se ao mesmo tempo à dominação da falsa consciência reificadora sobre os indivíduos particulares, é preciso uma mudança societária oniabrangente. Nada menos abrangente do que isso pode prevalecer de maneira duradoura.

Contentar-se com a "reforma gradual" e as mudanças parciais correspondentes é autoderrotista. A questão não é se as mudanças são introduzidas repentinamente ou ao longo de um período maior, mas a *conformação estratégica geral* da transformação *estrutural fundamental* consistentemente perseguida, independentemente do tempo que a sua realização bem-sucedida possa levar. Os riscos de *ou um ou outro* entre as formas de controle sociometabólico mutuamente excludentes – a ora estabelecida e a futura – são *globais* tanto no espaço quanto no tempo. É por isso que o projeto socialista só pode obter êxito se for articulado e afirmado de maneira consistente como a *alternativa hegemônica* ao metabolismo social estruturalmente resguardado e alienante do capital. Isto é, se a ordem socialista alternativa abarcar no curso de seu desenvolvimento produtivo *cada sociedade* e o fizer no espírito de assegurar a irreversibilidade histórica da alternativa hegemônica do trabalho ao controle sociometabólico estabelecido do capital.

No projeto socialista, em virtude da crítica radical inevitável e abertamente professada da falsa consciência estruturalmente dominante do sistema do capital, as medidas adotadas de transformação material são *inseparáveis* dos objetivos educacionais defendidos. Isso porque os princípios orientadores da transformação socialista da sociedade são irrealizáveis sem o pleno envolvimento da educação como o desenvolvimento contínuo da consciência socialista. Todos os princípios orientadores anteriormente discutidos – desde a participação genuína em todos os níveis de decisão até o planejamento abrangente (concebido no sentido do planejamento que inclui a autônoma "obtenção de sentido da própria vida" pelos indivíduos) e desde a realização progressiva da igualdade substantiva na sociedade como um todo até as condições globalmente sustentáveis da única economia historicamente viável em uma ordem internacional em progressão positiva – só podem traduzir-se em realidade se o poder da educação for plenamente ativado para esse propósito.

As medidas adotadas em qualquer momento dado são históricas também no sentido de que são e permanecerão sempre sujeitas a mudança. Não é preciso dizer, sob condições favoráveis as realizações alcançadas podem ser progressivamente acentuadas e aprofundadas em um sentido positivo. Mas, evidentemente, é da mesma forma razoável que, do lado negativo, as reversões jamais possam ser aprioristicamente excluídas. Isso dependerá sempre da intervenção efetiva da educação socialista no processo contínuo de transformação. Na análise final, é isso o que determinará se prevalecerão as potencialidades positivas ou negativas e em que grau.

4

Muito se fala hoje nas sociedades capitalisticamente avançadas sobre a *agenda do respeito*. Consiste na ilusória projeção de resolver a *crise de valores* cada vez mais aprofundada – manifesta na forma da crescente criminalidade e delinquência, ao lado da alienação cada vez pior do jovem em relação à sua sociedade – por um apelo direto e retórico à consciência dos indivíduos, postulando, em vão, o adequado "respeito pelos valores da cidadania democrática". E quando toda essa pregação vazia fracassa, como tem de fracassar, uma vez que evita, como a uma praga, as causas sociais dos sintomas negativos denunciados, as personificações políticas do alto escalão do capital, inclusive o mais alto deles, começam a falar de como podem identificar a futura delinquência já "no útero da mãe", indicando as medidas legislativas estatais autoritárias "necessárias" para lidar com a futura criminalidade potencial no estágio mais inicial possível. Essa linha de abordagem não é mais racional ou menos autoritária do que a defesa do Estado capitalista de "adotar implacavelmente a luta ideológica" com o intuito de vencer a já mencionada "guerra contra o terror". Ao mesmo tempo, o que se exclui absolutamente é a possibilidade de mudar as determinações estruturais da ordem social estabelecida que produzem e reproduzem os efeitos e consequências destrutivos. Cumpre negar de maneira categórica que possa haver alguma coisa seriamente errada com a sociedade tal como existe. Apenas os indivíduos tendenciosamente selecionados para serem repreendidos podem precisar de uma ação reparadora. E espera-se que essa ação corretiva seja proporcionada por um grupo privilegiado de indivíduos autodesignados – as personificações e os guardiões complacentes da ordem política e socioeconômica do capital – que alegam conhecer tudo melhor *ex officio*.

Assim, nada poderia ser mais justificado do que a instituição da ordem hegemônica alternativa. A estrutura educacional dessa ordem é tanto individual quanto social, e de maneira *inseparável*. O *destinatário* da educação socialista não pode ser simplesmente o indivíduo apartado, como no modelo dos ideais educacionais tradicionais. Pois, como já indicado, no passado, os preceitos e princípios educacionais defendidos eram via de regra detalhados na forma de *apelos diretos* à *consciência dos indivíduos* particulares, normalmente concebidos em termos de exortações morais. Ao contrário, a educação socialista se destina aos indivíduos *sociais*, e não aos indivíduos isolados. Em outras palavras, concerne aos indivíduos cuja autodefinição como indivíduos – em contraste com o discurso genérico abstrato da filosofia tradicional sobre a individualidade isolada autorreferenciada – não pode sequer ser imaginada sem a relação mais estreita com seu meio social real e com a situação histórica específica claramente identificável de que seus desafios humanos inescapavelmente emergem. Pois é precisamente a sua situação histórica e social concreta que os convida a formular os valores pelos quais seu compromisso ativo com determinadas formas de ação pode levar a cabo a realização de sua parte apropriada adotada de maneira consciente – que, por conseguinte, os define como indivíduos sociais autônomos e responsáveis – na grande transformação contínua. Eis como a educação praticamente efetiva dos indivíduos sociais se torna sinônima do significado mais profundo de educação como *autoeducação*. As referências de Marx ao "indivíduo social rico" têm o intuito de indicar esse tipo de *autodefinição* como a estrutura viável da educação.

Só é possível assumir a responsabilidade social não como o *tem de ser* moralista e abstrato do discurso filosófico tradicional, que defende algum "ideal" externo "a que os indivíduos devem se conformar", mas como a força real *que se integra* à situação histórica e social efetiva, com base na concepção da própria educação como um *órgão social* estrategicamente vital, isto é, como a prática social inseparável do *desenvolvimento contínuo da consciência socialista*. E isso, por sua vez, só é plausível pela *postura radicalmente diferente com relação à mudança* no interior da estrutura da ordem hegemônica alternativa.

Nada pode ser aprioristicamente eximido de mudança na nova ordem, em nítido contraste com a estrutura sociometabólica do capital, em que a crítica às determinações estruturais significativas da sociedade é decretada ilegítima e essas são, portanto, protegidas com todos os meios disponíveis ao sistema, inclusive os mais violentos. Alterar as condições historicamente dadas, de acordo com a dinâmica do desenvolvimento social em andamento, não é apenas aceitável, mas também de importância vital na ordem hegemônica alternativa. Deixar de fazê-lo não somente iria contra o *ethos* socialista professado, como também privaria a sociedade de seu potencial positivo de desenvolvimento, como a história do século XX tragicamente demonstrou.

O papel da educação socialista é muito importante nesse sentido. Sua determinação interna simultaneamente social e individual lhe confere um papel histórico único, com base na *reciprocidade* pela qual ela pode exercer sua influência e produzir um grande impacto sobre o desenvolvimento social em sua integridade. A educação socialista só pode cumprir seu preceito se for articulada a uma intervenção consciente e efetiva no processo de transformação social.

A *reciprocidade* mencionada é altamente relevante nesse sentido porque, por um lado, os indivíduos sociais podem contribuir de maneira ativa para a realização das tarefas e desafios dados, e com isso para a significativa transformação de sua sociedade, e, ao mesmo tempo, por outro lado, são conformados de um modo significativamente internalizável, no curso das mudanças alcançadas. Com efeito, eles mesmos são também legitimamente conformados por sua própria *consciência positiva* do significado dos desenvolvimentos em progresso, percebendo corretamente sua parte ativa neles. Esse tipo de *internalização consensual genuína* dos contínuos desenvolvimentos pelos indivíduos sociais assinala um afastamento radical com relação à doutrina inteiramente apologética do *consentimento tácito* que predominou na teoria política da ordem estabelecida desde John Locke, seu fundador.

O envolvimento ativo dos indivíduos nas mudanças societárias pode ser identificado como *interação social* no melhor sentido do termo. Uma interação social plena de significado, fundada na *reciprocidade mutuamente benéfica* entre os indivíduos sociais e sua sociedade. A emergência e o fortalecimento dessa reciprocidade mutualmente benéfica estariam completamente fora de questão se alguma autoridade designasse que os vários aspectos da ordem hegemônica alternativa, incluindo suas *determinações estruturais* mais importantes, devessem permanecer além do alcance dos indivíduos sociais. Sua "autonomia" nesse caso equivaleria a nada, como de fato significa nada no caso das postuladas "escolhas soberanas" feitas pelos indivíduos na sociedade de mercadorias. Assim, a relevância da educação socialista, como o desenvolvimento contínuo da consciência socialista – nesse sentido vital de *reciprocidade*, que define os indivíduos particulares como *indivíduos sociais* (e evidencia ao mesmo tempo o próprio significado desse termo definidor) – não poderia ser maior. Pois as exigências de um desenvolvimento historicamente viável, no espírito dos importantes princípios orientadores da transformação socialista, tornam-se reais por meio da contribuição mais ativa da educação para o processo. *Nenhuma* delas poderia cumprir sua função social requerida sem a educação.

5

Como um caso representativo, podemos perceber muito claramente a importância seminal da educação – explicitada na forma da reciprocidade mutuamente benéfica entre os indivíduos particulares e sua sociedade – na relação com a mudança fundamental necessária para transformar as práticas econômicas ora dominantes em um tipo qualitativamente diferente. A diferença concerne diretamente ao domínio da reprodução material vital cuja saúde é essencial para a viabilidade até mesmo das práticas culturais mais mediadas. Pois o *imperativo do tempo* do capital predominante no processo de reprodução material afeta diretamente não apenas as relações estruturais de exploração da sociedade de classes como um todo, mas impõe ao mesmo tempo seus efeitos negativos e humanamente empobrecedores sobre cada aspecto da atividade material e intelectual no *tempo de vida* dos indivíduos particulares. Por conseguinte, a necessidade de *emancipação* humana, em que a educação socialista desempenha um papel crucial, representa a esse respeito um desafio fundamental.

As práticas reprodutivas da sociedade capitalista são caracterizadas pela contabilidade do tempo desumanizadora que *obriga* os indivíduos trabalhadores – em contraste com as "personificações do capital", que são os mais *complacentes impositores* do imperativo do tempo alienante do sistema – a se submeterem à tirania do *tempo de trabalho necessário*. Desse modo, como denunciou Marx, os indivíduos trabalhadores – potencialmente os indivíduos sociais ricos, em suas palavras – sofrem as consequências alienantes ao longo de toda a sua vida porque sofrem "sua degradação a mero trabalhador, sua subsunção no trabalho"[3]. Ademais, essa dependência estrutural e a correspondente degradação não é de maneira alguma o final da história. Sob determinadas circunstâncias, especialmente sob as condições de grandes crises socioeconômicas, os trabalhadores têm também de sofrer a perversidade do desemprego, a mazela cinicamente camuflada e hipocritamente justificada da "flexibilidade do trabalho" e a selvajaria da difundida *precarização*. Todas essas condições emergem da mesma determinação operacional do processo de trabalho capitalista. Devem-se à desumanidade irredimível da *contabilidade do tempo* do capital e à coação do *imperativo do tempo inalterável* do sistema[4].

A alternativa hegemônica do trabalho é a instituição de uma *contabilidade do tempo* radicalmente diversa, sinônima das exigências humanamente enriquecedoras da *contabilidade socialista*. Apenas sobre essa base é possível entrever as práticas produtivas em pleno desenvolvimento dos *indivíduos sociais ricos*. Isso só é plausível por meio de uma substituição radical da tirania historicamente predominante do *tempo de trabalho necessário* pela adoção consciente e o uso criativo do *tempo disponível* como princípio orientador da reprodução societária.

---

[3] Karl Marx, *Grundrisse der Kritik der politischen Ökonomie* (Marx-Engels-Werke, Berlim, Dietz Verlag, 1983, v. 42), p. 604.

[4] Ver, no capítulo 5 de *O desafio e o fardo do tempo histórico* (cit.), a discussão de importantes temas relacionados.

Obviamente, a ideia de uma alteração dessa magnitude carrega consigo implicações de longo alcance. Pois, no momento exato em que focamos nossa atenção na necessidade da mudança qualitativa envolvida na adoção do tempo disponível como a contabilidade do tempo praticamente efetiva, capaz de substituir o tempo de trabalho necessário, torna-se amplamente evidente que é inconcebível instituir na sociedade uma alteração tão fundamental sem a plena ativação da força da educação socialista.

Em primeiro lugar, porque a instituição do *tempo disponível* como o novo princípio orientador e operacional do processo de reprodução societária exige uma adesão *consciente* a ele. Isso se opõe totalmente à tirania do *tempo de trabalho necessário* que domina a sociedade na forma da *compulsão econômica* geral, regulada não pela *apreensão consciente* – nem mesmo pelo "planejamento" *estritamente parcial* aplicável às unidades econômicas particulares introduzidas *como uma reflexão tardia* pelas "personificações do capital" no processo de trabalho – mas pela contradição antagônica entre capital e trabalho e pela força *post festum* do mercado. Os trabalhadores não têm de ser educados para a tarefa de participar da estrutura operacional do tempo de trabalho necessário. Eles simplesmente não podem escapar de seus imperativos, uma vez que estes lhes são diretamente *impostos*, com a absolutez de um "destino social", correspondente à sua *subordinação estruturalmente assegurada* na ordem social estabelecida. Eis porque essa estrutura recebeu de Marx a sagaz denominação de "a condição inconsciente da humanidade". Como tal, a *inconsciência* ubiquamente predominante no processo capitalista de trabalho, por conta de sua cega contabilidade do tempo – por mais idealizada que seja –

significa também *incontrolabilidade*, com suas implicações fundamentalmente destrutivas.

A segunda razão, igualmente importante, é que o *sujeito social* capaz de regular o processo de trabalho com base no *tempo disponível* só pode ser a *força conscientemente combinada da multiplicidade de indivíduos sociais*: os "produtores livremente associados", como são habitualmente denominados. Novamente, podemos ver aqui um contraste notável com o "sujeito" que regula o processo de reprodução societária com base no tempo de trabalho necessário. Pois o tempo de trabalho necessário não é apenas estreitamente *determinista*, mas também terminantemente *impessoal*, no sentido de que a força reguladora da produção e reprodução societária não é em absoluto um sujeito propriamente dito, mas os *imperativos estruturais do sistema do capital em geral*. Mesmo os mais complacentes impositores do *imperativo do tempo* do sistema estabelecido não podem senão *obedecê-los*, com maior ou menor êxito. Se não obtêm êxito em sua exigida *conformidade* com os imperativos fetichistas, serão logo expulsos da estrutura do sistema pela falência de suas empresas. Em vista do fato de que, não obstante as mistificações fetichistas do sistema do capital, seu sujeito produtor real é o trabalhador, o capitalista como suposto sujeito controlador – que é, na verdade, firmemente controlado pelos imperativos estruturais necessariamente predominantes da ordem estabelecida – só pode ser um *pseudo-sujeito usurpador*. Consequentemente, apenas o sujeito efetivamente produtor, o trabalho como tal, pode adquirir a única consciência reguladora plausível e produtivamente viável sob as condições históricas do nosso tempo. É óbvio que não estamos falando aqui da categoria sociológica empirista dos trabalhadores particulares como trabalhadores isolados – que confrontam a força social do capital, por maior que seja o seu número, como trabalhadores isolados – mas sim do *trabalho dos indivíduos sociais conscientemente combinados como a condição universal da vida na ordem hegemônica alternativa*. Esse é o único sujeito social plausível que pode regular de maneira consciente o processo de reprodução societária com base no *tempo disponível*. Ou, para expressar de um modo diverso a mesma correlação dialética, somente pela adoção consciente do tempo disponível como o princípio operacional orientador e praticamente efetivo de nossa vida é possível entrever o desenvolvimento de um sujeito social capaz de controlar de forma apropriada a produção e a reprodução societária da ordem hegemônica alternativa.

O sujeito em questão, como antes mencionado, é simultaneamente social e individual. Esse indivíduo social é impensável sem os processos educacionais – e autoeducacionais – pelos quais se podem satisfazer as exigências criativas da nova ordem sociometabólica. Como a sociedade se encontra hoje, a adoção do *tempo disponível* em todos os lugares como um princípio operacional vital da produção é apenas uma *potencialidade abstrata*. O futuro depende de nossa capacidade (ou incapacidade) de transformar essa *potencialidade abstrata* em *realidade criativa concreta*.

Nem é preciso dizer que a tirania do tempo de trabalho necessário é uma imposição aos trabalhadores, que devem sempre permanecer uma *força de trabalho relutante* no interior da estrutura do sistema do capital. Além disso, a imposição do tempo de trabalho necessário é também desperdiçadora em seus próprios termos de referência, no sentido de que sua operação pressupõe o estabelecimento de uma estrutura de comando estritamente hierárquica de que algumas partes são extremamente problemáticas ou, de fato, completamente parasitárias, mesmo com relação às suas supostas funções econômicas. Comparadas a isso, as vantagens de se levar a cabo a produção e a reprodução societária com base no tempo disponível, dedicado à realização dos objetivos conscientemente escolhidos pelos indivíduos sociais autorregulados, são inegáveis. Pois os "produtores livremente associados" dispõem de recursos incomparavelmente mais ricos do que aquilo que jamais se poderia arrancar da força de trabalho relutante sob a imposição dos imperativos estruturais do tempo de trabalho necessário do capital.

Cumpre também enfatizar aqui que a educação – como o desenvolvimento progressivo da consciência socialista integrante à vida dos indivíduos sociais em sua estreita interação com seu ambiente social historicamente em transformação – é uma força vital identificável também pelo grande impacto da educação sobre a mudança na reprodução material. Esse impacto emerge diretamente da substituição operacional do tempo de trabalho necessário pelo tempo disponível autonomamente determinado, definida na disposição de sua sociedade pelos indivíduos trabalhadores. É evidente que apenas os indivíduos sociais como indivíduos podem conscientemente determinar por e para si mesmos, a natureza (isto é, a dimensão qualitativa) e o montante de *seu próprio tempo disponível* do qual as realizações criativas de sua sociedade podem emergir com êxito. Tudo isso concerne tanto ao número de horas como à intensidade do trabalho dedicados por eles à tarefa produtiva relevante. Nenhuma autoridade destacada pode decidir ou impor-lhes essas exigências, ao contrário da dominação anteriormente inevitável do tempo de trabalho necessário.

A única força capaz de contribuir positivamente para o novo processo de transformação é a própria *educação*, cumprindo com isso seu papel de *órgão social*, como acima mencionado, pelo qual a *reciprocidade mutuamente benéfica* entre os indivíduos e sua sociedade se torna real. Nada pode ser imposto aqui *de antemão* (como uma norma preestabelecida) ou como *finalidade* restritiva. Vemos no processo reprodutivo positivamente ilimitado da ordem hegemônica alternativa a manifestação de uma *interação* genuína. Por intermédio da educação socialista, a força produtiva dos indivíduos se estende e acentua, simultaneamente ampliando e tornando mais emancipadora a força reprodutiva geral de sua sociedade como um todo. Esse é o único significado historicamente sustentável de *ampliação da riqueza social*, em contraste com o culto fetichista da *expansão do capital* fundamentalmente destrutiva em nosso mundo finito, que é inseparável do desperdício fatal do sistema do capital.

A dominação do valor de uso pelo valor de troca, e a consequente negação sistemática impiedosa da necessidade humana em nossa ordem global, só pode ser retificada com base em uma mudança radical do princípio orientador socialista do tempo disponível conscientemente adotado e exercido pelos próprios indivíduos sociais. Sua educação como *autoeducação orientada ao valor*, inseparável do desenvolvimento contínuo de sua consciência socialista em sua reciprocidade dialética com as tarefas e desafios históricos que têm de enfrentar, os faz crescer tanto em suas forças produtivas como em sua humanidade. É isso que lhes proporciona o fundamento necessário para a autossatisfação criativa como sujeitos autônomos que podem obter sentido de (e, ao mesmo tempo, dar sentido a) sua própria vida como indivíduos sociais particulares, plenamente cientes de sua parte – e responsabilidade – em assegurar o desenvolvimento positivo historicamente sustentável de sua sociedade. E é evidente que isso confere seu significado verdadeiro na expressão "indivíduo social rico".

6

As mesmas considerações se aplicam a todos os princípios orientadores essenciais da ordem social hegemônica alternativa na vinculação completa de suas exigências reprodutivas com a educação socialista. Pois somente por meio do mais ativo e constante envolvimento da educação no processo de transformação social – alcançado por sua capacidade de ativar a reciprocidade dialética progressivamente mais consciente entre os indivíduos e sua sociedade – é possível transformar em *força operativa* efetiva, historicamente progressiva e *concreta* o que no início podem ser apenas *princípios e valores orientadores genéricos*.

Do modo como os indivíduos determinam conscientemente a natureza e o montante propício de seu tempo disponível, livremente dedicado à realização de seus objetivos sociais escolhidos, que somente eles podem determinar de maneira autônoma e contínua, assim também somente eles podem definir o significado da *participação real* em todos os níveis de decisão. Pois a liberação criativa e a participação produtiva só são concebíveis pelo entendimento apropriado da natureza das tarefas envolvidas, incluindo sua *raison d'être* histórica, e ao mesmo tempo pela percepção da necessidade de aceitar de forma consciente a grande *responsabilidade* inseparável de um modo plenamente participativo de regular sua ordem social em uma base sustentável.

De modo semelhante, o significado da *igualdade substantiva* só pode transformar-se de um *princípio orientador* geral válido em uma *realidade social* criativamente sustentável e humanamente enriquecedora – e na correspondente identificação positiva e sem reservas dos membros da sociedade com as *determinações de valor* subjacentes e sua genuína justificação – por meio da autotransformação da educação como o desenvolvimento contínuo da consciência socialista. Uma forma de educação que deve ser capaz não apenas de confrontar e retificar conscientemente as relações sociorreprodutivas estruturalmente resguardadas e fatalmente prejudiciais da *desigualdade material e social/política* herdadas do passado, mas de superar, ao mesmo tempo, a força mistificadora profundamente engastada da antiquíssima *cultura da desigualdade substantiva* que ainda permeia a consciência social.

Em outro contexto, como vimos acima, o fracasso deplorável do *planejamento* econômico no sistema social de tipo soviético deveu-se à tentativa burocrática de impô-lo sobre a sociedade da maneira mais autoritária, *de cima*, ignorando a necessidade de assegurar a cooperação voluntária dos indivíduos sociais com o plano anunciado pelo Estado. A cooperação consciente positiva era uma exigência essencial impossível de alcançar sem a intervenção positiva da educação praticamente efetiva como autoeducação – na forma e no espírito da reciprocidade anteriormente mencionada entre os indivíduos trabalhadores e seus compromissos societários mais amplos – com o propósito de obter a identificação consciente dos indivíduos particulares com o cumprimento de seus objetivos produtivos escolhidos. Sem isso, os indivíduos não poderiam interagir de forma criativa com o próprio plano geral para contribuírem autonomamente com o processo transformador em um domínio criticamente importante.

E para tomar mais um exemplo, quando pensamos na complementaridade dialética das dimensões nacional e internacional da sociedade em nosso tempo, revela-se imediatamente que o papel da educação como a educação consensual praticada de forma consciente é extremamente importante. Nas palavras de Fidel Castro:

> Na medida em que tivermos êxito em educar profundamente nosso povo no espírito do *internacionalismo e da solidariedade*, tornando-o consciente dos problemas de nosso mundo hoje, no mesmo grau seremos capazes de confiar que nosso povo cumprirá suas obrigações internacionais. É impossível falar de solidariedade entre os *membros de um povo* se a solidariedade não for criada simultaneamente *entre os povos*. Se fracassarmos nisso, correremos o risco de cair no *egotismo nacional*.[5]

Nesse sentido, o legado altamente negativo e divisor do passado ainda pesa muito na consciência dos povos, contribuindo ativamente para a constante erupção de conflitos e confrontos destrutivos em diferentes partes do mundo hoje. É inconcebível desprendemo-nos dessas contradições e antagonismos sem a força criativa da educação autonomamente exercida pelos indivíduos sociais, como o desenvolvimento contínuo da consciência socialista. Pois somente essa educação pode capacitar-lhes a uma apreensão clara da natureza e relevância das questões em jogo e inspirá-los ao mesmo tempo a assumir plena responsabilidade por sua própria parte positiva no processo de trazer ao controle as tendências destrutivas de nossa ordem social globalmente entrelaçada – e em nosso tempo histórico inevitavelmente nacional e internacional.

---

[5] Discurso em Katowice, Polônia, em 7 de junho de 1972. Citado em Carlos Tablada Pérez, *Economia, etica e politica nel pensiero di Che Guevara* (Milão, Il Papiro, 1996), p. 165.

Em todas essas questões, estamos preocupados com a necessidade vital de uma mudança estrutural radical e oniabrangente de nossa ordem sociorreprodutiva, que não se pode alcançar pelas determinações materiais cegas que tiveram de predominar no desenvolvimento histórico passado. Além disso, os grandes problemas e dificuldades de nossas próprias condições históricas são ainda intensificadas e agravadas pela inegável *urgência do tempo* jamais experimentada em épocas históricas anteriores.

Nesse sentido, é suficiente apontar duas diferenças literalmente vitais que colocam em acentuado relevo a urgência do tempo em nossa própria época. Em primeiro lugar, *o poder de destruição* antes inimaginável que se encontra hoje à disposição da humanidade, pelo qual se pode alcançar facilmente o completo extermínio da espécie humana por meio de uma variedade de meios militares. Isso é gravemente acirrado pelo fato de que testemunhamos, no último século, tanto a escala como a intensidade sempre crescentes de conflagrações militares efetivas, incluindo duas guerras mundiais extremamente destrutivas. Ademais, nos últimos anos da caótica "nova ordem mundial", as pretensões mais cínicas e absurdas foram – e ainda são – empregadas para iniciar guerras genocidas, ameaçando-nos ao mesmo tempo até mesmo com o uso "moralmente justificado" de armas nucleares em projetadas guerras futuras "preventivas e antecipadas". E a segunda condição gravemente ameaçadora é que a natureza destrutiva do controle sociometabólico do capital em nosso tempo – manifesta pela predominância cada vez maior da *produção destrutiva*, em contraste com a mitologia capitalista tradicionalmente autojustificadora da *destruição produtiva* – encontra-se no processo de devastação do ambiente natural, arriscando com isso diretamente as condições elementares da própria existência humana neste planeta.

Por si sós, essas condições já acentuam energicamente tanto a urgência dramática do tempo em nossa própria época histórica, como a impossibilidade de encontrar soluções viáveis aos graves problemas envolvidos sem confrontarmos *conscientemente* os perigos e nos comprometermos com a única busca *racionalmente* plausível – e *cooperativa* no sentido mais profundo do termo – por soluções. Assim, em virtude da magnitude sem precedentes das tarefas em jogo e da urgência historicamente única de nosso tempo que demanda sua solução duradoura, o papel atribuído ao desenvolvimento contínuo da consciência socialista é absolutamente fundamental.

A necessidade de uma mudança estrutural radical e abrangente na ordem sociometabólica estabelecida carrega consigo a exigência da *redefinição qualitativa* das *determinações sistêmicas* da sociedade como a perspectiva geral de transformação. Ajustes parciais e melhorias marginais na ordem sociorreprodutiva existente não são suficientes para cumprir o desafio. Pois poderiam apenas reproduzir em uma escala ampliada – e, de fato, com o passar de nosso tempo histórico opressivamente restrito, necessariamente também agravada – os perigos identificáveis de forma clara tanto no domínio da destruição econômica e militar, como no plano ecológico. É por isso que somente a instituição e a consolidação da *alternativa hegemônica* ao controle sociometabólico do capital pode oferecer uma saída para as contradições e antagonismos de nosso tempo.

Conforme vimos acima, o que distingue as alternativas hegemônicas concorrentes da maneira mais notável é sua postura radicalmente diferente com relação à mudança.

O controle sociometabólico do capital é absolutamente incompatível com qualquer ideia de mudança estruturalmente significativa, apesar de todas as evidências de sua urgência. Ao contrário, a ordem hegemônica alternativa do trabalho social não pode sob nenhum aspecto funcionar sem abraçar *positivamente* – e *conscientemente* – as forças dinâmicas da mudança em todos os níveis da vida individual e social, incluindo as determinações estruturalmente vitais da reprodução material e cultural da sociedade. Isso só se pode realizar, em uma base societária contínua e abrangente, pela necessária realização do *planejamento digno do nome*, conscientemente designado e levado à fruição de maneira autônoma, pelos próprios indivíduos sociais.

Nesse sentido, a mudança é plausível na ordem hegemônica alternativa não como um passo ou passos particulares adotados com o pretexto da finalidade ou do fechamento (há sempre algum novo desafio gerado e, de fato, bem-vindo no curso da transformação socialista), mas somente pelo desenvolvimento contínuo – *nunca definitivamente completado* – da consciência socialista. Assim, o modo hegemônico alternativo de controle sociometabólico se define tanto em termos do impacto duradouro de seus princípios orientadores livremente adotados e importantes do ponto de vista operacional – que transformam em realidade a força da consciência individual e social – como por meio da capacidade efetiva de produção material e reprodução societária oniabrangente. De fato, esta última não poderia em absoluto proceder sem sua constante interação com os projetos e desígnios conscientemente formulados pelos seres humanos em sua situação sócio-histórica em transformação, em estreita conjunção com suas determinações de valor e com o compromisso consciente de cumprir os desafios enfrentados e melhorar suas condições de existência. E as melhorias aqui referidas emergem não simplesmente em termos materiais, mas de acordo com o pleno significado anteriormente discutido dos "indivíduos sociais ricos em autodesenvolvimento".

A consciência dos indivíduos sociais que opera nessas relações das alegações concorrentes entre a ordem sociometabólica estabelecida e sua alternativa hegemônica é, em primeiro lugar, sua consciência da necessidade de instituir com êxito uma alternativa historicamente sustentável à crescente destrutividade do modo de controle sociorreprodutivo do capital. Ao mesmo tempo, no que concerne à autoconsciência e à autodefinição historicamente apropriada das pessoas envolvidas, a consciência exigida dos indivíduos sociais engajados no processo transformador é sua consciência positiva de que estão ativamente engajados na instituição da única ordem hegemônica alternativa plausível sob as circunstâncias vigentes. Nada que seja desprovido desse tipo de autodefinição – afirmada com inflexível determinação e consistência – pode alcançar êxito. Pois estamos aqui preocupados com um preceito único para uma transformação qualitativa oniabrangente, que surge em uma conjuntura crítica da história humana. Isto é, em uma conjuntura antes inconcebível, em que nada menos do que a própria sobrevivência da espécie humana está diretamente em jogo.

O único órgão social capaz de satisfazer o preceito histórico vital em questão é a educação firmemente orientada ao desenvolvimento contínuo da consciência socialista.

7

Uma vez que a ideia de mudança estrutural é excluída *a priori* quando se enxerga o mundo da perspectiva do capital, em vista dos parâmetros conceituais necessariamente limitadores do sistema, a dimensão do *futuro* sofre as consequências, no sentido de que tem de restringir-se na visão de absolutamente todos cujo horizonte histórico é estabelecido pelo ponto de vista do capital. Por conseguinte, mesmo um gênio filosófico como Hegel só poderia oferecer uma *dialética truncada do tempo* quando alcançou o presente em sua monumental concepção da História Mundial. De forma significativa, ele barrou o caminho antes da possibilidade de qualquer mudança futura estruturalmente relevante, insistindo, de maneira apologética – que ao final tinha de se verificar em seu espírito também anti-histórica –, que "A história universal vai do leste para o oeste, pois a *Europa é o fim da história universal*"[6]. E acrescentou, ainda, que esse processo de desenvolvimento a seu clímax e completude ideal é "a verdadeira *teodiceia*, a justificação de Deus na história"[7].

Do ponto de vista fundamentalmente autoderrotista do capital, as perspectivas de desenvolvimento devem ajustar-se de tal modo que a preocupação com a *imediaticidade* domina o horizonte temporal. Toda a mudança visada só é admissível e legítima se as condições potencialmente alteradas puderem se adaptar prontamente à conformação estrutural estabelecida do sistema do capital e a suas determinações de valor correspondentes.

---

[6] G. W. F. Hegel, *Filosofia da história* (Brasília, Editora Universidade de Brasília, 1995), p. 93. Grifos meus.
[7] Ibidem, p. 373.

A orientação educacional dos indivíduos – incluindo suas aspirações materiais e valores sociais – segue o mesmo caminho, diretamente dominada pelos problemas da imediaticidade capitalista. Sua consciência temporal, no que concerne ao "futuro", se restringe ao *tempo presente* constantemente renovado de sua luta com o poder fetichisticamente limitador da imediaticidade de sua vida cotidiana: uma luta que não pode em absoluto vencer sob a vigência do tempo de trabalho necessário do capital. O *caráter local* e a *imediaticidade* devem, portanto, prevalecer em toda parte. O conceito de *mudança estrutural geral* material e socialmente plausível, sem mencionar *seu caráter desejável e legítimo*, deve permanecer, nos termos do sistema educacional dominante, como absoluto *tabu*.

Os cultos convenientes, do ponto de vista capitalista, do *local* e do *imediato* predominam e devem caminhar inseparavelmente juntos. Assim, nas concepções que se conformam ao ponto de vista da "ordem natural" automitologizadora supostamente permanente do capital, a ausente dinâmica dos objetivos e ideais transformadores *abrangentes*, que teriam de entrever em alguma conjuntura futura a necessidade – ou ao menos a possibilidade – de mudança sócio-histórica fundamental, não pode tornar-se inteligível sem que se mantenha em mente o *horizonte temporal* inevitavelmente *truncado* dos indivíduos controlados de maneira fetichista em sua vida diária. Há aqui uma perversa reciprocidade que produz um círculo vicioso na relação dos dois. O horizonte temporal truncado dos indivíduos exclui a possibilidade de estabelecerem para si mesmos objetivos transformadores abrangentes e vice-versa, a ausência de determinações transformadoras abrangentes em sua visão condena sua consciência temporal a permanecer trancada no mais estreito horizonte temporal da imediaticidade.

A educação socialista, ao contrário, não pode cumprir seu preceito histórico sem dar o devido peso aos objetivos transformadores abrangentes essencialmente importantes vinculados a seu horizonte temporal apropriado. Por certo, isso não significa que os objetivos mais fundamentais da mudança estrutural devam ou possam ser deixados para um futuro distante, por conta da perspectiva inevitavelmente de longo prazo de sua plena realização. Ao contrário, é uma característica proeminente dos problemas que devem ser confrontados no curso da transformação socialista que as tarefas imediatas não possam ser separadas e convenientemente isoladas dos desafios de longo prazo e mais abrangentes, muito menos opostas de maneira autojustificada – como no passado – a eles. Os próprios problemas são tão estreitamente entrelaçados, em virtude do caráter histórico único da mudança estrutural oniabrangente exigida, que a ação referente até mesmo aos mais distantes objetivos transformadores *plenamente* realizáveis – como, por exemplo, a instituição da *igualdade substantiva* em todos os lugares, no sentido mais pleno do termo – não pode ser deixada para alguma data futura remota. O caminho que conduz à realização completa da igualdade substantiva deve ser tomado hoje, se falamos a sério sobre a efetivação bem-sucedida da atividade inflexível necessária para a instituição e consolidação de uma mudança material e cultural tão radical.

É um traço historicamente único da defesa socialista da mudança estrutural qualitativa que a consciência – e a autoconsciência – dos indivíduos deva enfocar a natureza *inclusiva/oniabrangente* da requerida transformação social e de sua própria parte nela, como *integrante aos objetivos gerais* em questão, em lugar de ser passível de compartimentação no âmbito privado de alguma individualidade isolada mais ou menos fictícia. Desse modo, também o horizonte temporal dos indivíduos sociais particulares é inseparável do tempo histórico abrangente – não importa em quão longo prazo – de toda a sua sociedade dinamicamente em desenvolvimento. Assim, pela primeira vez no curso da história humana espera-se que os indivíduos se tornem realmente *conscientes* de sua parte no desenvolvimento humano com relação tanto a seus *objetivos transformadores abrangentes* positivamente plausíveis quanto à *escala temporal* de seu próprio envolvimento real e contribuição específica ao processo de mudança de suas sociedades.

Nesse sentido, a consciência e a autoconsciência dos indivíduos particulares quanto a seu papel como indivíduos sociais responsáveis – sua consciência clara de sua *contribuição específica imediata*, mas escolhida de forma autônoma, à transformação *oniabrangente* contínua – é uma parte *integrante e essencial* de todo êxito possível. Pois eles não podem alcançar propriamente nem mesmo seus objetivos relativamente limitados sem perceber e avaliar de maneira autoconsciente a relevância de sua atividade particular na estrutura transformadora mais ampla – que desse modo eles mesmos constituem e conformam de modo autônomo –, como integrante ao tempo histórico circundante criado continuamente por uma sucessão de gerações, inclusive a deles. Somente nessa perspectiva eles podem se tornar plenamente cientes da importância vital de seu próprio *tempo disponível*, como "produtores livremente associados". Essa é a única maneira pela qual podem autonomamente dedicar seu tempo disponível – que é simultaneamente seu *tempo histórico real* como indivíduos sociais particulares capazes de obter sentido da, e dar sentido a, sua própria vida – à criação de uma ordem sociometabólica qualitativamente diferente, bem como historicamente sustentável.

Nessa transformação radical, está em jogo nada menos do que a necessidade literalmente vital da criação de uma nova sociedade viável. Uma transformação cujo sucesso é inconcebível sem assegurar conscientemente o *desígnio racional* – historicamente inevitável – *dos parâmetros gerais da nova ordem* de maneira contínua e sem a *autoconsciência* dos indivíduos sociais como criadores e recriadores desse desígnio geral através das gerações. E, evidentemente, é razoável que a criação e a renovação apropriada do desígnio geral exigido sejam inconcebíveis sem a autoconsciência e as determinações de valor autônomas dos indivíduos sociais capazes e desejosos de se identificarem com a transformação historicamente progressiva de sua sociedade.

O papel da educação, propriamente definido como o desenvolvimento contínuo da consciência socialista, é sem dúvida um componente crucial desse grande processo transformador.

8

Dada a urgência sem precedentes de nosso tempo histórico, o socialismo no século XXI não pode evitar enfrentar os desafios dramáticos que emergem desses imperativos.

Em um sentido geral, já apareciam na época em que Marx vivia, ainda que naqueles dias a destruição total da humanidade – na ausência dos meios e modalidades militares para realizar com facilidade essa destruição, em estreita conjunção com a crise estrutural inevitável do sistema do capital, como em nosso tempo se experimenta em toda parte – não fosse ainda uma realidade globalmente ameaçadora.

O próprio Marx tentava apaixonadamente explorar os meios para realizar as mudanças transformadoras oniabrangentes necessárias para se contrapor em uma base historicamente sustentável à progressiva tendência destrutiva do sistema do capital. Ele estava plenamente ciente do fato de que sem a dedicação consciente das pessoas à realização da tarefa histórica monumental de instituir uma ordem sociometabólica radicalmente diferente e viável de reprodução não poderia haver êxito. A força intelectual persuasiva da apreensão teórica, por mais bem fundamentada que fosse, não era por si só suficiente. O modo como formulou esse problema, com grande senso de realidade, foi o reconhecimento de que "não basta que o pensamento procure realizar-se; a realidade deve igualmente compelir ao pensamento"[8].

Ele sabia bem que a força material progressivamente destrutiva do capital, na fase decadente do desenvolvimento do sistema, tinha de ser emparelhada e positivamente superada pela força material da alternativa hegemônica historicamente viável. Assim, destacando a maneira como o trabalho teórico podia aspirar ser significativo, ele acrescentou à sentença acima citada: "mas a teoria converte-se em força material quando penetra nas massas"[9]. Naturalmente, não é qualquer teoria que poderia fazê-lo. Uma vez que se tratava de constituir uma relação apropriada entre teoria comprometida com a

---

[8] Karl Marx, "Crítica da filosofia do direito de Hegel - Introdução", em *Crítica da filosofia do direito de Hegel* (São Paulo, Boitempo, 2006), p. 152.
[9] Ibidem, p. 151.

ideia de uma mudança societária fundamental e com a força material que poderia fazer a diferença, era preciso satisfazer algumas condições de importância vital, sem as quais a ideia defendida da "teoria que penetra nas massas" equivaleria a nada mais que um lema moralista vazio, como frequentemente foi o caso no discurso sectário/elitista. Assim, Marx concluiu suas reflexões sobre o assunto salientando firmemente que "a teoria só se realiza num povo *na medida em que é a realização das suas necessidades*"[10].

Não é necessário dizer que a teoria não pode alcançar o povo em questão somente por livros, nem tampouco se voltando simplesmente, mesmo com a melhor das intenções, a uma multidão aleatória de indivíduos. O pensamento radical não pode ser bem-sucedido em seu preceito de mudar a consciência social sem uma *articulação organizacional* adequada. Uma organização coerente – para proporcionar a estrutura historicamente em desenvolvimento de intercâmbio entre as necessidades das pessoas e as ideias estratégicas de sua realização – é essencial para o sucesso do empreendimento transformador. Não é, portanto, de modo nenhum surpreendente que Marx e Engels, seu companheiro mais próximo, como jovens intelectuais revolucionários tenham aderido ao movimento social mais radical de seu tempo e tenham sido responsáveis por escrever o *Manifesto Comunista*, que defendia a necessária intervenção organizada inflexível no progressivo processo histórico global.

Foi também essencial ter uma ideia clara da orientação estratégica da consciência em desenvolvimento, isto é, seu foco necessário sem o qual poderia desviar-se da realização

---

[10] Ibidem, p. 152. Grifos meus.

de sua tarefa histórica. É por isso que Marx continuou salientando que a defendida *consciência comunista* só seria capaz de cumprir seu preceito histórico se fosse "a consciência da *necessidade de uma revolução radical*"[11].

Ademais, uma consideração igualmente importante concernia à questão da *amplitude* em que essa consciência comunista deveria difundir-se na sociedade, para que exista uma chance de subjugar seu adversário, juntamente com a questão conseguinte das *condições* ainda ausentes *de sua difusão* sob as circunstâncias vigentes, dado o longo condicionamento histórico das pessoas envolvidas que agia contra a adoção em larga escala da consciência comunista. Pois as tentações fundamentalmente autoderrotistas do *vanguardismo elitista* não tiveram sua origem em tempos recentes. Eram já proeminentes muito antes do tempo de Marx. Isso se aplicava não apenas à ignorância da questão de "como os educadores são educados?" – presumindo algum tipo de "direito nato" ou superioridade *ex officio* aos "educadores" autodesignados –, mas em termos mais gerais: ao problema vital da *decisão* que exclui as grandes massas do povo. Ao lado disso, tais concepções elitistas foram sempre condenadas à futilidade e ao fracasso, porque sem a mobilização das grandes massas do povo não pode haver esperança de sucesso contra a disparidade esmagadoramente favorável ao capital sob as condições históricas vigentes.

Em oposição a todas as deturpações elitistas concebíveis do desafio, das quais vimos inúmeras incorporações no passado, Marx enfatizou da maneira mais clara que

---

[11] Karl Marx e Friedrich Engels, *A ideologia alemã* (São Paulo, Boitempo, 2007).

Tanto para a criação em massa dessa consciência comunista quanto para o êxito da própria causa faz-se necessária uma transformação massiva dos homens, o que só se pode realizar por um movimento prático, por uma *revolução*; que a revolução, portanto, é necessária não apenas porque a classe dominante não pode ser derrubada de nenhuma outra forma, mas também porque somente com uma revolução a classe *que derruba* detém o poder de desembaraçar-se de toda a antiga imundície e de se tornar capaz de uma nova fundação da sociedade.[12]

Essas considerações permanecem válidas para o presente e para o futuro. O vanguardismo sectário jamais poderia estar à altura da magnitude da tarefa histórica que envolve a constituição de um movimento de massa revolucionário capaz de superar com êxito seu adversário e, ao mesmo tempo, "livrar-se" da sujeira paralisadora de séculos, de modo a tornar-se *adequado para fundar uma nova sociedade*. Eis porque Marx contrastava a necessidade de *consciência comunista de massa* com o *"ideal abstrato* ao qual as pessoas deveriam se conformar". Quer os defensores de tais abordagens estejam cientes disso ou não, o *vanguardismo sectário* sempre foi – e jamais poderia ser outra coisa – precisamente a tentativa de impor sobre as grandes massas do povo o ideal abstrato deplorado por Marx, ao passo que descartava de maneira arrogante, ou ao menos ingênua, a alternativa válida da *consciência comunista de massa* como "populismo" ou alguma coisa do gênero. E o "ideal abstrato" externamente imposto pelo vanguardismo sectário não poderia ser considerado menos prejudicial apenas porque alguns de seus

---

[12] Idem.

dedicados defensores estariam pessoalmente dispostos a se conformarem a ele.

Paradoxalmente, em alguns períodos do século XX, "a realidade estava compelindo ao pensamento", para empregar a expressão de Marx, mas o "pensamento" – como deveria incorporar-se em estratégias sociais e políticas viáveis da requerida transformação radical, juntamente com suas articulações organizacionais correspondentes – não estava à altura do desafio. Com o intuito de descartar a possibilidade de não se conseguir tirar vantagem das condições favoráveis que surgem em meio à crise estrutural cada vez mais aprofundada do capital, cumpre recordar duas questões de importância seminal. Com relação a ambas, o papel da educação – como o desenvolvimento tão necessário da consciência socialista, sem a qual mesmo a grave crise estrutural da ordem sociometabólica do capital está muito longe de ser suficiente para ativar o processo de "fundação de uma nova sociedade" – é supremo.

A primeira refere-se à necessária *transição* da ordem vigente à sociedade historicamente sustentável do futuro. Como vimos antes, a ordem sociometabólica ora profundamente resguardada do capital se caracteriza pela dominação do *contravalor* – isto é, pela conotação positiva perniciosamente conferida ao desperdício e à destruição – que carrega consigo a degradação da "educação" ao condicionamento conformista das pessoas que devem "internalizar" as exigências destrutivas suicidas do sistema do capital, no espírito adequado à manutenção e ampliação do contravalor. Nesse sentido, o movimento direcionado à nova ordem sociometabólica, na sociedade *de transição*, é inseparável da necessidade de superar o *ethos social herdado* da ordem reprodutiva do capital. Somente por meio da educação concebida como a *autoeducação* radical dos indivíduos sociais, no curso de sua "*alteração* que só pode ter lugar em um *movimento prático*, em *uma revolução*", somente nesse processo podem os indivíduos sociais tornar-se simultaneamente educadores e educados. Essa é a única maneira concebível de superar a dicotomia conservadora de todas as concepções elitistas que dividem a sociedade em seletos "educadores" misteriosamente superiores e o resto da sociedade consignada à sua posição permanentemente subordinada de "educados", como realçado por Marx. A esse respeito, devemos constantemente nos lembrar de que a defendida "alteração do povo para se tornar *adequado para fundar uma nova sociedade*" só é plausível pelo desenvolvimento da "consciência comunista de massa", que abarca a maioria esmagadora da sociedade.

Esse desenvolvimento tem lugar em uma *sociedade de transição*, com suas características dadas que não se pode ilusoriamente desconsiderar para ajustá-la a algum postulado futuro idealizado. Os expedientes mediadores efetivamente disponíveis – as *mediações*[13] práticas identificáveis entre o presente e o futuro sustentável – são os únicos modos e meios pelos quais os *princípios orientadores gerais* da transformação socialista podem tornar-se *forças operadoras* e acentuar de maneira crescente as potencialidades e realizações positivas percebidas, bem como reduzir o poder dos componentes negativos herdados. Para o êxito desse processo, é preciso confiar na dialética prática de mudança *e continuidade*, consolidando as potencialidades e realizações positivas como

---

[13] Em termos filosóficos, a categoria de *mediação* adquire uma importância particularmente grande no período histórico de transição à nova ordem social.

fundamento necessário sobre o qual é possível construir com êxito. Naturalmente, o modo próprio de apreender os expedientes mediadores disponíveis em uma sociedade de transição inclui a adaptação consciente ao nosso próprio desígnio das aspirações progressistas do passado mais remoto – como vimos anteriormente com referência aos ideais educacionais irrealizados dos grandes pensadores iluministas – e com isso a recriação de uma *continuidade histórica* perdida à qual o capital se contrapõe absolutamente no presente estágio de sua crise sistêmica. A *transição* bem-sucedida é um processo histórico vital, que se desdobra no interior da dialética sustentável de continuidade e mudança. Pelo abandono de um dos dois componentes dialéticos válidos desse processo, para não mencionar a supressão de ambos, só se pode *destruir a história*, como o capital se inclina a fazer hoje. O papel autônomo da educação autoeducadora na apreensão e na adequada adaptação dos expedientes mediadores da sociedade de transição é o construtor necessário da continuidade positiva. Ele é a *história viva*, conforme se desdobra na direção do futuro escolhido e, ao mesmo tempo, o modo consciente de os indivíduos viverem sua própria história no difícil período de transição.

A segunda questão de importância seminal indicada acima concerne ao *desafio internacional* que enfrentamos. Pois ninguém pode seriamente negar que o culto do local – desde o romantismo ingênuo de "o pequeno é belo", até o lema, cuja unilateralidade tende à autoderrota, ainda que seja retoricamente tentador, "pense globalmente, *aja localmente*" – é totalmente impotente contra os recursos globais de dominação e destruição do capital. Ao mesmo tempo, é também muito difícil negar que as tentativas passadas de contrapor-se organizacionalmente ao poder global do capital pela força do internacionalismo socialista não viveram para alcançar seus objetivos declarados. Uma das principais razões para o fracasso das Internacionais radicais foi seu pressuposto extremamente irrealista – mesmo que historicamente condicionado – da *unidade doutrinal* como ponto de partida e necessário modo de operação e suas tentativas de *coerção* de vários modos autoderrotistas, que conduziram a *desencaminhamentos* e à implosão final. Retificar conscientemente esse problema, de acordo com as exigências e potencialidades de nosso tempo histórico, representa um grande desafio para o futuro.

Do outro lado, a dominação ideológica do capital no âmbito internacional foi fortemente sustentada pela *cultura da desigualdade substantiva*. Ela promoveu o mito autovantajoso das "nações histórico-mundiais" – alguns países capitalisticamente poderosos que alcançaram a dominação sob determinadas circunstâncias históricas – à custa das nações menores supostamente destinadas à eterna subordinação aos países "histórico-mundiais". Essa visão alçou na filosofia abstrata uma *contingência histórica* óbvia ao altivo *status* de necessidade ontológica apriorística, culminando na máxima apologética anteriormente citada segundo a qual as "nações histórico-mundiais" da Europa representam "o fim da história universal". Desse modo, o sistema de dominação e subordinação estrutural totalmente injustificável se justificava pela caricatura especulativa da bruta relação de forças contingentemente estabelecida, mas historicamente mutável, no postulado da permanência da desigualdade substantiva.

O papel da educação é crucial também nesse sentido. Pois, por um lado, é necessário expor – por meio do papel desmistificador da educação socialista – o caráter apologético da cultura há muito estabelecida da *desigualdade substantiva*, em todas as suas formas, para aproximar a realização da única relação humana permanentemente sustentável de *igualdade substantiva* na ordem global historicamente em transformação. E, por outro lado, a intervenção positiva da educação na elaboração dos meios de contrapor-se com êxito à dominação global do capital, pelo estabelecimento das formas organizacionalmente viáveis de solidariedade socialista, é vital para o cumprimento do grande *desafio internacional de nosso tempo histórico.*

OBRAS DO AUTOR

Szatira és valóság. Budapeste, Szépirodalmi Könyvkiadó, 1955.
La rivolta degli intellettuali in Ungheria. Turim, Einaudi, 1958. [Ed. bras.: *A revolta dos intelectuais na Hungria: dos debates sobre Lukács e Tibor Déry ao Círculo Petöfi*. Trad. João Pedro Alves Bueno. São Paulo, Boitempo, 2018.]
Attila József e l'arte moderna. Milão, Lerici, 1964.
Marx's Theory of Alienation. Londres, Merlin, 1970. [Ed. bras.: *A teoria da alienação em Marx*. Trad. Nélio Schneider. São Paulo, Boitempo, 2016.]
Aspects of History and Class Consciousness. Londres, Routledge & Kegan Paul, 1971.
The Necessity of Social Control. Londres, Merlin, 1971.
Lukács' Concept of Dialectic. Londres, Merlin, 1972. [Ed. bras.: *O conceito de dialética* em *Lukács*. Trad. Rogério Bettoni. São Paulo, Boitempo, 2013.]
Neocolonial Identity and Counter-Consciousness. Londres, Merlin, 1978.
The Work of Sartre: Search for Freedom and the Challenge of History. Brighton, HarvesterWheatsheaf, 1979. [Ed. bras.: *A obra de Sartre: busca da liberdade e desafio da história*. Trad. Rogério Bettoni. São Paulo, Boitempo, 2012.]
Philosophy, Ideology and Social Science. Brighton, HarvesterWheatsheaf, 1986. [Ed. bras.: *Filosofia, ideologia e ciência social*. Trad. Ester Vaisman. São Paulo, Boitempo, 2008.]
The Power of Ideology. Brighton, HarvesterWheatsheaf, 1989. [Ed. bras.: *O poder da ideologia*. Trad. Magda Lopes e Paulo Cézar Castanheira. São Paulo, Boitempo, 2004.]

Beyond Capital: Towards a Theory of Transition. Londres, Merlin, 1995. [Ed. bras.: *Para além do capital: rumo a uma teoria da transição*. Trad. Paulo Cézar Castanheira e Sérgio Lessa. São Paulo, Boitempo, 2002.]

Socialism or Barbarism: from the "American Century" to the Crossroads. Nova York, Monthly Review, 2001. [Ed. bras.: *O século XXI: socialismo ou barbárie?*. Trad. Paulo Cézar Castanheira. São Paulo, Boitempo, 2003.]

A educação para além do capital. Trad. Isa Tavares. São Paulo, Boitempo, 2005.

O desafio e o fardo do tempo histórico: o socialismo no século XXI. Trad. Ana Cotrim e Vera Cotrim. São Paulo, Boitempo, 2007.

A crise estrutural do capital. Trad. Francisco Raul Cornejo. São Paulo, Boitempo, 2009.

Social Structure and Forms of Consciousness, v. I. *The Social Determination of Method*. Nova York, Monthly Review, 2010. [Ed. bras.: *Estrutura social e formas de consciência*, v. I. *A determinação social do método*. Trad. Luciana Pudenzi e Paulo César Castanheira. São Paulo, Boitempo, 2009.]

Historical Actuality of the Socialist Offensive: Alternative to Parliamentarism. Londres, Bookmark, 2010. [Ed. bras.: *Atualidade histórica da ofensiva socialista: uma alternativa radical ao sistema parlamentar*. Trad. Maria Orlanda Pinassi e Paulo Cézar Castanheira. São Paulo, Boitempo, 2010.]

Social Structure and Forms of Consciousness, v. II. *The Dialectic of Structure and History*. Nova York, Monthly Review, 2011. [Ed. bras.: *Estrutura social e formas de consciência*, v. II. *A dialética da estrutura e da história*. Trad. Caio Antunes e Rogério Bettoni. São Paulo, Boitempo, 2011.]

The Necessity of Social Control: enlarged edition. Nova York, Monthly Review, 2014.

A montanha que devemos conquistar: reflexões acerca do Estado. Trad. Maria Izabel Lagoa. São Paulo, Boitempo, 2015.

Beyond Leviathan: Critique of the State. Nova York, Monthly Review, 2022. [Ed. bras.: *Para além do Leviatã*. Organização, prefácio e notas de John Bellamy Foster. Trad. Nélio Schneider. São Paulo, Boitempo, 2021.]

István Mészáros na conferência de abertura do Fórum Mundial de Educação, realizada no dia 28 de julho de 2004 em Porto Alegre.

Publicado em 2008, este livro foi reimpresso em setembro de 2024, vinte anos após o discurso de Mészáros na conferência de abertura do Fórum Mundial de Educação, realizado em Porto Alegre, e que resultou neste ensaio. Foi composto em Adobe Garamond, corpo 12/14,4, e reimpresso em papel Avena 80 g/m² pela Mundial, para a Boitempo, com tiragem de 2 mil exemplares.